La educa

D1048295

Dra. Florence Desachy

LA EDUCACIÓN DEL PERRO

EDITORIAL DE VECCHI

Traducción de M.ª Àngels Pujol i Foyo.

Fotografía de la cubierta de Bruno Pascale, adiestrador de la perra Akita-inu Horchka, (archivo de Bruno Pascale).

Ilustraciones de Jesús Gracia Sánchez.

© Editorial De Vecchi, S. A. U. 2005
Balmes, 114. 08008 BARCELONA
Depósito Legal: B. 17.951-2005
ISBN: 84-315-3168-1

Índice

Para una educación familiar del perro

▪ Definición de educación

¿En qué consiste la educación de un perro? ¿Por qué educarlo? ¿Por qué escoger un tipo de educación «familiar»?

Vamos a responder a todas estas preguntas y vamos a intentar proporcionar las claves de una educación exitosa y fácil. El cachorrillo que acabamos de comprar tiene que continuar siendo tan encantador como al principio y, sobre todo, tiene que ser obediente cuando llegue a la edad adulta. Pero, después de diez años de dedicación, hemos comprobado que no siempre es así: esto no será posible sin nosotros y sin la educación que consigamos darle.

> *Un animal tiene que representar algo más en la vida del amo, y no un conjunto de contratiempos que intenta solventar de la mejor forma posible.*

Vamos a vivir con nuestro animal en sociedad y existen algunas reglas que se tienen que respetar por el bienestar de todos. El aprendizaje de estas reglas de base constituye la educación.

Una buena educación no descansa sobre conocimientos científicos, sino sobre nociones teóricas sencillas en aplicación directa con la práctica. Y esto es lo que propone esta obra.

¿Por qué educar al perro?

La educación nos permitirá tener un perro equilibrado en cualquier circunstancia y con todos, y que sea además aceptado por todo el mundo. En efecto, un perro no tiene por qué ser una frontera infranqueable entre el mundo de los amos y el de los «no amos». No podemos alejarnos del resto del mundo porque nuestro perro esté mal educado. La armonía de las relaciones entre el amo, el perro y el entorno está directamente relacionada con la calidad de la educación.

Educamos a nuestro perro pensando en su bienestar, en el nuestro y en el de nuestro entorno. Un perro molesto y que no obedece no gustará a nadie, excepto a nosotros, que somos sus amos y le soportamos todo. Pero no será un perro feliz y equilibrado. Si unos amigos nuestros vienen a casa y el perro les salta encima sin cesar, no tendrán ganas de acariciarlo y lo rechazarán continuamente.

También nos costará dejarlo a alguien si tenemos necesidad de desplazarnos sin él en algún momento.

Muchos amos de perros consultan al veterinario por trastornos del comportamiento del animal: «Ya no me permite sentarme en el sillón», «ladra y me muerde cuando lo riño». Llegados a este punto es muy difícil volver atrás. La educación nos permite no encontrarnos jamás ante este tipo de situaciones.

La educación no previene de todos los posibles futuros trastornos del comportamiento, pero atenúa mucho los riesgos de que estos aparezcan.

No siempre es fácil tener éxito en la educación del animal, pero debemos tener presente que es difícil para todo el mundo y que todos los amos que muestran interés consiguen triunfar.

La educación familiar

La educación familiar es una educación cotidiana, sencilla, fácil y natural, que pueden realizar todos los miembros de la familia.

De hecho, es muy raro que únicamente el amo del perro esté en contacto con el animal en el ámbito familiar, a menos que viva solo. Así pues, es lógico que todo el entorno participe: la pareja, los niños..., todos tienen que colaborar en la educación del cachorro. Para ello, es necesario que los consejos que se den sean aplicables por todos, desde los 7 a los 77 años.

Esto también nos permite tener un perro que obedezca a todos los miembros de la familia. En las consultas veterinarias se escuchan comentarios del tipo: «Sólo escucha a mi marido.»

Es muy importante que la tarea de educar se lleve a cabo durante todo el día, de forma continua, y no a través de ejercicios puntuales (cuando se tiene tiempo). Es necesario también que la educación del animal no se convierta en «la obsesión» del amo y de la familia. Tiene que llevarse a cabo de la forma más natural posible y con placer, tanto para el educador como para el perro.

¿Escépticos? Este libro nos ayudará a utilizar las actitudes y comportamientos naturales de nuestro perro para provocarlas más adelante (ejemplo: aprovecharse del hecho que el perro se sienta solo para decirle «¡Sentado!» y recompensarle, lo que provocará poco a poco la posición de sentado cuando digamos «¡Sentado!» sin la obligación de la recompensa).

El perro acepta mejor una educación sin ejercicios programados y repetitivos, que además es más agradable para el amo.

■ Consejo para los amos

Nos gustaría, antes de empezar este libro, aclarar las nociones de «dominado-dominante». Todos los animales salvajes viven en grupos, y establecen relaciones jerárquicas que permiten la organización y la supervivencia de estos. La familia en la que vive el perro está considerada como un grupo, aunque en este caso no es salvaje. El perro tiene que encontrar su lugar en él. Pero este lugar tiene que ser siempre el de un dominado. Esto no quiere decir que sea necesario someter y vejar de forma permanente a nuestro animal; significa, simplemente, que el perro tiene que considerar siempre a la familia como «su amo», y que esta tendrá siempre la última palabra (sin injusticias).

> *Sólo respetando el orden jerárquico podremos crear relaciones equilibradas y afectuosas con nuestro animal.*

Como amos, debemos estar convencidos de la necesidad de estas relaciones para educar lo mejor posible a nuestro animal.

Vamos a comprobar a través de las páginas de este libro (sobre todo en el capítulo dedicado a los fracasos, pág. 125) la importancia de la estabilidad de estas relaciones. La mayoría de trastornos de comportamiento del perro provienen de una falta de claridad y de estabilidad en las relaciones amo-perro. Emplearemos siempre el término «amo». Este término designa también a la dueña, y se emplea aquí en sentido amplio para definir la (o las) persona(s) que se encarga(n) de la educación del perro.

Todas las técnicas de educación propuestas en este libro se han obtenido de los llamados métodos «positivos». Se trata de una educación basada de forma esencial en las recompensas. Más adelante, tendremos la ocasión de concretar más.

Una experiencia de diez años, la complicidad con los amos, el conocimiento de sus problemas, de sus necesidades y de sus demandas han dado como fruto esta obra. El encuentro con amos desamparados, no más incompetentes que los demás, sino simplemente desbordados por los acontecimientos por falta de información, nos ha llevado a proponer «pequeños trucos» que permitirán educar a nuestros perros con placer.

La elección de una raza y de un cachorro es muy importante para el buen resultado de la educación. Hallaremos en el apartado «Nosotros y nuestro perro» algunos consejos de base para elegir un perro y para aprender a conocerlos y a encontrar el modelo educativo que nos será más fácil aplicar (es necesario ser severo con algunas razas y más diplomático con otras).

También tenemos que saber que *la educación empieza el primer día de la adquisición del cachorro.* No debemos pensar que es mejor no molestarlo el primer día. Estará muy contento de que todo el mundo se ocupe de él, pero las malas costumbres se adquieren con mucha rapidez. Es preferible adquirir un cachorro de no más de dos meses, puesto que resultará más fácil educarlo.

Hablar y escuchar

- **Nuestro perro nos habla: aprender su lenguaje**
- **Aprender a hablarle: inventarse una «lengua»**

Ya hemos visto que educar a nuestro perro es hacerle tomar consciencia de sus límites en la casa y en el exterior. Es enseñarle a respetar los lugares y las personas. Para ello tendremos que pasar por distintas etapas.

Entender y hacerse entender

Tenemos que «decir» algo al perro (y a menudo repetirlo), y él tiene que oírlo. Por lo tanto, tenemos que asegurarnos que ha entendido bien y estar a la escucha de lo que él pueda «respondernos» (su descontento, por ejemplo). Hacerse entender y entender al animal son las bases necesarias del intercambio indispensable para conseguir una buena educación. Para ello, es necesario conocer muy bien los mecanismos en que se basa la comunicación hombre/animal. «Sólo le falta poder hablar.» ¡Sí! ¡Todos los problemas se resumen con frecuencia así! Pero esto no debe ser motivo para dejar de comunicarnos con nuestro animal: tendremos que hacer el esfuerzo de encontrar otra forma de comunicación y de comprensión con los elementos (voz, gestos...) de que disponemos.

¡No sólo disponemos de palabras!

La comunicación es un proceso que conlleva la emisión de una señal por parte de alguien y la recepción de esa señal por parte de otro (ese «alguien» también incluye a nuestro cachorro). La emisión y la recepción de la señal se realizan gracias a cuatro sentidos en los perros: El olfato es uno de los sentidos más desarrollados en ellos. Veremos la importancia que tiene en las relaciones con su amo.

Los perros también oyen muy bien, aunque a veces se hacen los sordos... ¡a nuestras órdenes! Las jaurías de perros poseen códigos de vocalización muy precisos. Existe una raza que no ladra o lo hace de forma excepcional: los basenji. La vista también es un sentido que interviene en el proceso comunicativo: el perro nos ve, ve nuestros gestos y nuestras posturas. No olvidemos utilizarlo. Por último, el tacto es fundamental para una buena educación.

Vamos a hablar de todo esto con más detalle, y a aprender a hablarle.

■ Tiene algo que decirnos. El lenguaje del perro

El perro emitirá, pues, señales que tendremos que entender. Emitirá sonidos (ladridos, gritos, gemidos...), nos hará gestos (orejas hacia detrás, cabeza de lado, morro arrugado...), utilizará su cuerpo (pelos de punta, rabo en movimiento...). Debemos permanecer «a la escucha».

Los sonidos

El perro no habla, pero emite sonidos cuyo significado varía en función de su naturaleza y de su intensidad.

TIPOS
El registro de sonidos es el siguiente: nuestro cachorro puede emitir gritos agudos, gruñidos, aullidos, quejidos y, evidentemente, ladridos: ¡un programa completo, para el que necesitamos traducción!

Los primeros sonidos emitidos al nacer son los gemidos, los gritos agudos y también los gruñidos (de poca intensidad). Luego aparecen los ladridos, y más tarde los gruñidos más fuertes y los aullidos. El catálogo se completa hacia las tres semanas de edad. Así pues, cuando se empieza la educación, el perro ya sabe expresarse muy bien.

SIGNIFICADO
Los *gemidos* pueden ser la expresión de placer en el cachorro recién nacido. Más tarde se convierten siempre en signo de un dolor, de un miedo o de un malestar. No debemos permitir nunca que nuestro perro emita este tipo de sonidos cuando intentemos enseñarle algunas cosas. Esto significaría que no está en situación de escuchar porque está preocupado o angustiado por otras cosas.

Los *gritos* revelan un dolor físico.

Los *aullidos* son un signo de aislamiento, o simplemente de miedo a la soledad (puede chillar, por ejemplo, justo antes de nuestra marcha).

Los *gruñidos* expresan cólera, pero no por fuerza implican agresividad. Pueden advertirnos simplemente de que «ya basta», pero ya veremos que no debe abusar demasiado de esto.

Los *ladridos fuertes* los emite cuando está seguro de sí mismo (¡y con derecho!), y los ladridos agudos son los que utilizan normalmente los perros que dudan y que se están equivocando.

Estudiaremos ahora los gestos.

Los gestos

El perro exterioriza numerosos sentimientos y sensaciones a través de los gestos. De esta manera es como se comunica con sus congéneres.

Pero es capaz de utilizar perfectamente esto mismo con los hombres. Seguramente hemos visto más de una vez a un perro inclinando la cabeza hacia un lado y luego hacia el otro, poniendo «los ojos tiernos» para que su dueño acabe cediendo y le dé el azúcar del café. Más adelante también veremos cómo el perro está muy atento a la expresión de nuestra cara.

Los elementos expresivos de la cara del perro son: la cabeza, las orejas, los ojos, los dientes y el morro. Cada uno de ellos puede expresar un sentimiento distinto. Hablaremos de ellos uno por uno.

SIGNIFICADO

El perro puede llevar la *cabeza* tiesa. Esto significa que está seguro de sí mismo, pero sin excesos. Se encuentra «bien consigo mismo». Si la mantiene bajada, representa un signo de sumisión o de gran timidez. Nuestro perro debe obedecernos, pero no tenernos miedo. Del mismo modo, no debe tener miedo de hacer un «ejercicio».

Las *orejas* también pueden estar erguidas (el perro se encuentra cómodo) o dobladas hacia abajo (se trata de una mala señal: tiene miedo; a menudo, al mismo tiempo, el pelo está erizado). Debemos detenernos y ganarnos de nuevo su confianza.

Los *ojos*: el perro no está acostumbrado a mirarnos «a los ojos». Entre congéneres, se trata de una señal de enfrentamien-

Actitud del perro sometido que tenemos que evitar

to. Pero su mirada tampoco debe ser evasiva. Tiene que mirarnos la cara o las manos.

Nunca debe «enseñar los *dientes*». Más adelante veremos cómo evitar este comportamiento. Se trata, en efecto, sea cual sea la situación, de un signo de agresividad. El *morro* se frunce y la cara se llena de pliegues. El perro está preparado para el ataque. No podemos aceptar en ningún caso esta actitud; el animal dispone de otros medios para enseñarnos que está de mal humor y que debemos dejarlo tranquilo.

Además de con la cabeza, el perro también se expresa con el resto del cuerpo.

Las posturas

En la adopción de una postura intervienen: la cola, las patas, el cuerpo y el pelo. Como en los casos anteriores, cada sentimiento puede revelarse a través de la posición característica de cada uno de estos elementos.

Significado
Todos sabemos que cuando la *cola* está en movimiento es porque el animal está contento. La simple visión de la correa puede provocar una actitud similar cuando el cachorro ya ha comprendido gracias a nosotros que no se trata de un «instrumento de tortura» sino de un signo de salida. La posición normal de la cola es hacia abajo pero no entre las patas (menos en los perros en los que la posición de la cola es alta, evidentemente). La cola entre las patas es una actitud de sumisión. Las *patas* tienen que estar bien asentadas, y no preparadas para saltar. Del mismo modo, cuando enseñamos una orden a nuestro perro, tiene que estar en posición de escucha, con el *cuerpo* «levantado» y no tumbado sobre el sofá o con las patas levantadas. Cuando los *pelos* se erizan es signo de nerviosismo, agresividad o cólera.

Sus reacciones: una mezcla

Esta mezcla ya no tiene desgraciadamente secretos ni complicaciones para nosotros. Aprenderemos rápidamente a conocer a nuestro perro. Estas que acabamos de conocer son, en efecto, las bases de los medios de expresión del perro, pero *nuestro* perro no se expresará del mismo modo que el del vecino. La personas que han tenido varios perros nos confirmarán que todos son distintos, aunque sean de la misma raza. Estas bases nos permitirán simplemente descodificar con más rapidez el lenguaje de nuestro animal.

Nosotros ya lo entendemos y ahora le toca a él entendernos a nosotros. Para ello, se hace indispensable superar una etapa: tiene que «oírnos». ¿Cómo tenemos que expresarnos para conseguirlo?

▪ Él tiene que «oírnos». Nuestro lenguaje

Ya conocemos el código de «lenguaje» que emplearán el cachorro y el perro adulto para «decirnos» algo. Ahora analizaremos los medios de que disponemos como amos para hacerles llegar una información. Tendremos que abstenernos, al principio, de utilizar las mismas formas de comunicación que con nuestros congéneres (podemos hablar con nuestro perro, pero de forma distinta).

Las palabras

Como ya sabemos, la principal capacidad de la especie humana es la de comunicarse con un lenguaje muy complejo.

UN LENGUAJE «DE HOMBRE»

Aunque parezca evidente, son muchos los amos que se olvidan de ello y que se empeñan en dar órdenes muy complicadas, y se extrañan luego al ver que el perro no reacciona. ¡Tiene buena voluntad, pero no entiende nada! Debemos aceptarlo. El perro no entiende todas las palabras y, por lo tanto, tendremos que utilizar palabras sencillas, cortas y a menudo las mismas. Veremos esto de nuevo en el apartado «Utilización de nuestras "herramientas" de comunicación», pág. 29.

SU NOMBRE

Una regla básica es la elección de su nombre. Tenemos que evitar nombres como *Acantilado de la montaña blanca*. Los criadores bautizan a menudo a los cachorros con nombres de este tipo, pero se trata simplemente de una forma de poder identificar su origen gracias al nombre completo. No debemos dudar, y bautizaremos de nuevo a nuestro animal con un nombre más corto. Dos o tres sílabas con una vocal dominante son suficientes. El perro no percibe el nombre entero. Nombres como *Rex*, *Vic* y *Tom* quizás ya no estén de moda, pero el perro los comprende muy bien.

Resumiendo: tenemos que adoptar, sencillamente, la actitud de un extranjero que quiere hablar otra lengua y que, al conocer sólo pocas palabras, utiliza siempre las mismas y se ayuda de los gestos para completar su vocabulario.

¡Pero no cualquier tipo de gestos!

Los gestos

Esta forma de comunicación, que se utiliza frecuentemente cuando se va a otro país, es fundamental en las relaciones entre amo y perro. La utilizamos también en una simple conversación (en efecto, es raro que alguien se quede con los brazos quietos mientras habla).

GESTOS Y PALABRAS

Es muy importante que nuestros gestos sean congruentes con las palabras que pronunciamos cuando nos dirigimos al perro. El animal los comprenderá mirándonos y escuchándonos. Pero está demostrado que si nuestras palabras no son consecuentes con nuestros gestos, el perro sólo se fijará en los gestos. Pongamos un ejemplo: le reñimos, gritando, y al mismo tiempo lo zarandeamos cogiéndolo por la piel del cuello. Como ya veremos, esto no les provoca dolor y es muy eficaz si la presión de la mano es firme. Aunque nos enfademos mucho, si la presión de nuestra mano no es lo bastante fuerte el perro, de este intercambio, sólo recordará el gesto. Si el gesto ha sido «suave» y realizado sin seguridad, no habrá notado la severidad del diálogo, puesto que el gesto será el protagonista. Nosotros estaremos convencidos de que el animal ha comprendido la «gravedad» de la situación puesto que hemos gritado. Pero la realidad es que el perro lo habría entendido mejor si hubiéramos gritado menos fuerte y si nuestra mano hubiera mantenido la piel del cuello con más firmeza. Los gestos forman parte del lenguaje llamado «no verbal», igual que la expresión de la cara y la posición del cuerpo. Siempre tienen las de ganar en los intercambios con el perro.

Las expresiones de la cara

Los ojos son muy importantes en los intercambios humanos, pero no sucede lo mismo en el caso de las relaciones con el perro. El animal utiliza sus ojos para mirarnos de cara, lo que puede ser una provocación, o, al contrario, para adoptar una mirada

La mirada de frente es un signo de intimidación

huidiza, lo que es síntoma de sumisión. Cuando decimos que un perro nos mira con ternura, utiliza en realidad movimientos de cabeza y no una expresión visual real.

En cambio, los perros son muy sensibles a una expresión general de nuestra cara: la sonrisa, las cejas, la boca. De la misma manera que en los casos anteriores, esta expresión tiene que estar de acuerdo con las palabras. Si decimos: «¡Eres el perro más bonito!», con una voz suave y una expresión amenazante, el animal no pensará nunca que pueda tratarse de una declaración de amor.

También es necesario que utilicemos nuestro cuerpo.

El cuerpo

Nosotros «hablamos» con nuestro cuerpo mediante la posición que adoptamos frente al perro y con nuestro aspecto. Nuestra ropa y nuestro perfume también tienen una gran importancia.

Nuestra posición

Nuestra posición resulta muy significativa en los intercambios con el animal. Una posición encogida cerca del perro es, por ejemplo, una incitación al juego. Una posición de pie, mirando al perro desde arriba, es, por el contrario, una posición de dominación.

Para dar una orden, tendremos que adoptar la posición de pie. Para recompensar y felicitar al animal podemos ponernos en cuclillas.

Nuestras manos, nuestros brazos y también nuestro cuerpo entero pueden ser sinónimo de caricias para el perro. Ya nos daremos cuenta de que cuando un amo acaricia a su perro no utiliza únicamente las manos, sino que a menudo rodea también con los brazos su cuello.

La ropa

No se trata de vestirse de rojo durante tres meses para que nuestro perro nos reconozca. Nuestro animal será simplemente sensible a nuestro estilo. Si siempre vamos vestidos con ropas de deporte, se extrañará mucho cuando nos vea con traje de noche. Del mismo modo, se acostumbra a nuestro perfume y a los olores de la casa.

El hecho de que estemos lejos del perro no es razón para que el animal no pueda escucharnos. También deberemos educarle «a distancia» (hablaremos de esto más adelante). La verdad es que es muy importante que nos obedezca desde lejos, para así poderle dar algunas libertades. El lenguaje de los gestos se vuelve entonces muy útil.

Para un intercambio de confianza y duradero, es necesario que nos entendamos. Para ello, tenemos que conocernos a *nosotros* y debemos conocer bien a *nuestro* perro. Esto nos permitirá alcanzar los objetivos generales planteados.

▪ Debemos entendernos. El intercambio

Abordaremos ahora algunas nociones generales de psicología humana y canina.

Aprender a conocernos

Sin tener que adentrarnos en el psicoanálisis para educar a nuestro perro, sí es necesario saber como mínimo de qué forma nos comunicaremos mejor con él como amo y no como ser humano. Profundizaremos más sobre estas nociones en un próximo capítulo («Las bases de la educación», pág. 23). Pero veamos ahora las nociones básicas que nos facilitará esa comunicación.

Nuestras bazas

Disponemos de palabras, gestos y actitudes, y lo que tenemos que hacer es analizar lo que utilizamos mejor. Algunas personas son muy expresivas y hablan con numerosos y amplios gestos. Otras personas tienen una cara muy expresiva y utilizan la mímica. Otras poseen una elocución muy clara, con una voz de entonaciones variadas. Si nuestro «encanto» se encuentra en el hecho de susurrar las palabras, tendremos que insistir en la comunicación gestual. Es muy importante, para tener éxito en la educación, que el perro tenga puntos de referencia constantes.

El amo, las personas que lo rodean y su casa forman parte de sus puntos de referencia. Pero luego, cada persona tiene que diferenciarse de las demás. Esto es muy fácil entre los niños y los padres, por ejemplo. El perro no tendrá la misma actitud con los distintos miembros de la familia. Hay muchas personas que se sorprenden de que un perro sea tan cariñoso con los niños pequeños. Él los reconoce muy bien y esto es gracias a su forma de comunicación, basada en el aspecto físico. Los niños pequeños se comunican esencialmente con los gestos y con el tacto, y esto se encuentra más cerca de la forma de comunicación animal que las palabras.

Cuando hayamos conseguido delimitar nuestra forma de comunicación, intentaremos hacer lo mismo con la de nuestro animal, para podernos adaptar el uno al otro.

Aprender a conocerlo

Cuando sepamos cuál es la forma de comunicación que más dominamos (palabras, gestos, actitudes, etc.), tendremos que intentar encontrar el tipo de expresiones que nuestro perro parece comprender mejor (¿es más sensible a nuestras manos, a nuestra cara...?), esperando siempre que nos comuniquemos del mismo modo. Solamente tenemos que prestar atención, durante los primeros quince días, para ver de qué forma el perro responde a nuestras palabras, gestos y expresiones. De ahí obtendremos una forma de comunicación y de entendimiento. Podremos tener un perro muy activo, que será muy sensible a las palabras, por ejemplo (aunque la mayoría de los perros entienden mejor los gestos, como ya hemos visto). Tendremos que insistir al principio en esta forma de comunicación y acostumbrarlo luego, de forma progresiva, a un lenguaje gestual si no nos sentimos cómodos con éste.

El entorno

No debemos actuar en secreto: es mejor poner al corriente a todo el mundo sobre la forma de comunicación que hemos elegido.

AL UNÍSONO

En efecto, no se trata de utilizar con nuestro animal un lenguaje confidencial que sólo nosotros y el animal conocemos. Nos ha parecido útil recordarlo. Infinidad de veces nos hemos encontrado con un miembro de la familia desamparado en ausencia del amo porque el perro parece que no escucha nada. Por eso, todas las personas que se encuentran en contacto regular con el animal tienen que comunicarse con él del mismo modo. También por este motivo, la educación debe hacerse en familia. Es indispensable actuar al «unísono».

Abordaremos a continuación las bases de la educación. Con esto queremos recordar que la educación, incluso realizada con mucho cariño, comporta una noción de jerarquía.

Hacerse comprender comporta, algunas veces, una imposición de la voluntad. Los primeros tiempos de relaciones jerárquicas son quizás delicados, sobre todo si no tenemos este tipo de carácter; pero se trata de la etapa indispensable para mantener luego unas relaciones equilibradas con un animal... educado.

Las bases de la educación

- **Proporcionar algunos puntos de referencia**
- **Cómo utilizar a sabiendas los castigos y las recompensas**
- **Un amo y su perro: aprender a vivir juntos**

Existen varios tipos de educación: estricta, relajada y, entre las dos, una mezcla de suavidad y firmeza. La educación, como veremos, está en función del carácter del amo (un carácter autoritario escogerá una educación estricta), de su forma de vida (casa o apartamento, por ejemplo), del entorno (presencia o no de niños), del carácter de la raza (algunas son obedientes por naturaleza) y del carácter intrínseco del cachorro. A pesar de estas variaciones, algunas bases son inmutables y permiten adaptarse a todos los tipos de educación. Es lo que detallaremos en este capítulo.

La disponibilidad

Uno de los puntos esenciales de la educación familiar es que puede realizarse en cualquier momento del día... o casi. De hecho, es necesario que el animal esté disponible. Es necesario que esté atento a las informaciones que vamos a darle. Si decidimos sacarlo, por ejemplo, para enseñarle a caminar con la correa, no debemos despertarlo de un profundo sueño. Es necesario que lo sintamos receptivo, cómodo. Recordemos que, para ello, debe presentar la cabeza alta, las orejas tiesas, la cola horizontal, y se debe mostrar contento de aprender algo con nosotros. Si el perro se muestra sumiso, si «se hace el sordo», dejaremos para después la enseñanza o intentaremos que recupere la confianza.

No perder el tiempo

Los amos tienden a pensar que los primeros días no deben molestar al cachorro, y dejan que el animal haga todo lo que quiera. Un buen día deciden que ha llegado el momento de la educación, y cambian de comportamiento. El perro no comprende esta nueva situación.

> *El primer día para la educación es el día de la adquisición del animal.*

La primera noción es la de los puntos de referencia.

Puntos de referencia del perro

Nada más llegar a su nueva casa, el cachorro se construirá sus puntos de referencia. Es interesante conocerlos bien, puesto que la estabilidad de estos puntos es fundamental para no fracasar en la educación y para el equilibrio del animal. Son cuatro: el territorio, el amo (y el entorno), los desconocidos y los demás animales.

Debemos intentar utilizar estos puntos específicos y, sobre todo, modificarlos lo menos posible.

El territorio

El territorio del perro, aunque vive con nosotros, no es exactamente el mismo que el nuestro. Además tendrá que dividirse de forma distinta. En la naturaleza, el territorio de un animal o de un grupo es una zona prohibida al acceso de cualquier «extranjero», y a menudo muy bien vigilada. Los límites se señalan con olores. Los animales se frotan, por ejemplo, contra los árboles que delimitan su «casa».

Nuestro perro asimilará, sin duda, el apartamento o la casa como «su» casa. Extenderá la zona hasta el jardín, si lo tiene. Veremos más adelante cómo hacerle respetar estos lugares para que no los riegue de forma regular con su orina.

En la naturaleza

Existen jaurías de perros salvajes. Su territorio comprende tres zonas: el centro, que normalmente está ocupado por los dominantes; una zona intermedia, habitada por los machos a los que les gustaría ser jefes y sus hembras, y, por último, la periferia, ocupada por los jóvenes machos. Los cachorros de una camada organizan su territorio alrededor de la madre. Ella misma los empujará un día a explorar el espacio y los «rechazará».

Nuestro perro no es un animal salvaje pero mantiene algunos comportamientos de sus antepasados.

En el exterior de la casa

La noción de territorio se encuentra muy presente, incluso en los animales de compañía. Simplemente, se expresará de forma distinta que en estado salvaje. En el jardín o en la calle situada ante la casa, el perro se sentirá en su casa. Se mostrará amenazante ante cualquier otro perro que entre en su territorio.

Existe una distancia llamada «distancia de seguridad», comprendida entre los cinco y los diez metros. Si una persona o un animal sobrepasa esta distancia, el perro se escapa o ataca. Tendremos que obtener del perro, como veremos más adelante, una reacción intermedia gracias a la educación. Esta noción es muy importante, puesto que cuando el perro no puede beneficiarse de esta distancia de seguridad, puede volverse agresivo. Es el caso de un animal atado delante de su casa y que algunas personas vienen a molestar, el perro no puede retroceder para mantener una distancia de seguridad siempre igual frente al «agresor», porque está atado. Entonces se vuelve agresivo. Del mismo modo muchos perros muy tranquilos se vuelven locos en cuanto se ven encerrados en un coche, puesto que no tienen ninguna posibilidad de dominar la situación. Tenemos que intentar respetar siempre la necesidad de la distancia de seguridad. No debemos encerrar nunca a nuestro animal y, menos todavía, atarlo.

EN LA CASA

Así pues, el perro es lo que llamamos un animal «territorial» (a diferencia del gato). El cachorro delimitará rápidamente tres zonas en la casa: una para comer, otra para descansar y una tercera para hacer sus necesidades.

La educación consistirá en delimitar estas zonas con él. En efecto, está fuera de lugar que el propio perro elija el único sofá del comedor para instalarse. Nuestro papel también consistirá en hacer respetar estas zonas cuando las hayamos delimitado. Hablaremos otra vez sobre este tema en el capítulo «El aprendizaje del territorio», pág. 93.

Los miembros de la familia

Haremos referencia aquí al amo y a todas las personas que viven de forma regular en la misma casa. Ya hemos visto que, aunque el amo es a menudo el más autoritario, todo el mundo tiene que participar en la educación. Esto también quiere decir que las reglas serán las mismas con todos. Si una cosa está prohibida, la prohibición tendrán que aplicarla los niños, los padres e incluso los abuelos. No es raro encontrarse con perros completamente desorientados cuando sus puntos de referencia han desaparecido. Su reacción es la de poner toda su energía para detectar a las personas con las que ellos pueden hacer lo que quieren. Una energía perdida que sería mejor utilizar en una educación seria.

El aprendizaje de los «demás» (personas y animales) es una de las bases de la educación. Dedicaremos a este tema un capítulo (véase pág. 111). Lo esencial es tener siempre presente que todos los miembros de la familia deben ser dominantes frente al perro. El perro tiene necesidad de esta «relación de fuerza». Los amos dominados por su perro se mantienen así hasta un cierto nivel. El día en que este nivel se sobrepasa, el perro no entiende que su amo esté harto y empiezan los problemas graves (como mordiscos y agresividad). La autoridad forma también parte de los puntos de referencia necesarios para el perro.

Los desconocidos

Las personas que no conoce también son un punto de referencia para el cachorro. Tendrá evidentemente una actitud de desconfianza. Gracias a la educación, no se transformará en agresividad. El problema es que el cachorro no hace distinciones entre las personas que nosotros conocemos y las que no conocemos. Para él todos son extraños. También tendremos que enseñarle esta noción de «amigos del amo».

Los otros animales

Son: su madre —que representa el primer contacto animal—, los otros perros (que pueden ser sus hermanos y hermanas) y los animales de otras especies.

Su madre

En el capítulo reservado al aprendizaje de los «demás», hablaremos de nuevo de la importancia de los otros animales, sean nuestros o no. Es absolutamente necesario que el perro consiga dominar sus tendencias naturales, que son el enfrentamiento y el ataque. Es necesario conocer los mecanismos para enseñarle esto. El primer punto de referencia animal del cachorro es su madre. Este lazo de unión le permite reconocer más adelante a los miembros de su propia especie. La ausencia de un animal de la misma especie durante el periodo neonatal puede provocar problemas graves en la edad adulta (agresividad e hiperafección por su amo). Este periodo de reconocimiento precoz recibe el nombre de *periodo de improntación*. El animal puede apegarse a cualquiera. Si no está su madre y permanece siempre en contacto con un peluche lo considerará como si fuera de su especie. Si re-

cogemos un cachorro que su madre ha abandonado, es fundamental que lo pongamos rápidamente en contacto con otro perro.

LOS OTROS PERROS

Un segundo punto de referencia son los perros que no conoce.
Aprenderá a comunicarse con ellos según unos ritos estableci-
dos: se trata del conjunto de actitudes que adoptará nuestro animal cuando se encuentre con otro perro. Veremos más adelante
cómo «regular» estos encuentros. Pero veamos ahora lo que sucede de forma instintiva. Los perros se huelen, giran uno alrededor del otro, luego uno toma el papel de dominante y el otro el
de dominado. El dominado se coloca rápidamente en el suelo,
sobre la espalda, presentando sus órganos genitales. Si ninguno
de los dos adopta el papel de dominado, empieza la pelea.

LAS DEMÁS ESPECIES

El cachorro presenta normalmente un comportamiento positivo
hacia las demás especies hasta el mes de edad. Se acerca a los demás animales, los huele e intenta jugar con ellos. Luego, esta
atracción disminuye y se instaura el miedo a lo desconocido. Veremos la importancia de la sociabilidad del cachorro, es decir, el
contacto con otros animales desde los dos meses.

Todos estos puntos de referencia del animal de compañía son,
evidentemente, iguales a lo que sucede en estado salvaje. Se ate-
núan con la educación, pero tendremos que aceptar que en algunos momentos nuestro perro encuentre de nuevo sus instintos. Entonces tendrá reacciones inesperadas, puesto que son in-
controlables para él. La educación permitirá limitar estas salidas
de tono.

Para un buen aprendizaje de las nociones básicas, debemos
conocer siempre el comportamiento natural e instintivo del animal.

Esto permite comprenderlo y adaptar las órdenes y la forma
de darlas.

Analizaremos ahora la forma de optimizar la utilización de
nuestro lenguaje en función de las capacidades de comprensión
del perro y de su comportamiento. En efecto, la utilización co-

rrecta de las palabras y de los gestos es una de las bases de la educación. Debemos saber expresarnos con él.

■ Utilización de nuestras «herramientas» de comunicación

Ya hemos visto anteriormente de qué disponemos para hacernos comprender por nuestro animal (la voz, los gestos, la mímica...). Veamos ahora cómo utilizar esto de la forma más eficaz. Ante todo, tenemos que recordar la siguiente regla esencial: nos comunicamos con él gracias a un modo verbal y también a uno *no verbal* (gestos, sonrisas, posiciones). Los dos tienen que estar en armonía. Tenemos que entrenarnos en la utilización de nuestro cuerpo, nuestros brazos, etc.

Si el perro no nos escucha y no nos obedece, no tiene por qué ser culpa suya. A menudo, en el origen de tal comportamiento está una incomprensión de nuestro mensaje. Los amos dicen: «Mi perro no me escucha», pero nunca dicen: «Mi perro no me entiende». También tenemos que cuestionarnos. Esto es válido en cualquier tipo de enseñanza.

Confianza y credibilidad

Cuando comunicamos una orden a nuestro animal, tenemos que mostrarnos seguros y confiados. Del mismo modo, nuestro discurso que ser creíble. Nosotros notamos perfectamente bien si una persona cree en lo que está diciendo o no. El perro también percibe esto. Si no estamos seguros de nosotros, la relación amo/perro será falsa. Lo mismo sucede con el resto de los miembros de la familia. Todos deben tener claro que es normal que el perro no duerma en nuestra cama, si lo hemos decidido de esta forma. De lo contrario, él aprenderá enseguida cuándo puede revolcarse sobre la cama, y ya no seremos creíbles a sus ojos cuando lo riñamos.

La autoridad también es muy importante para conseguir que el perro nos escuche. Permite obtener obediencia sin recurrir al castigo. Esto no quiere decir «ser más duro». Los niños tienen a menudo mucha autoridad sobre el animal, sin llegar a ser brutales con él.

Por medio de la autoridad, la confianza y la credibilidad crearemos relaciones afectivas con nuestro animal.

Aceptarnos el uno al otro

Una buena comunicación exige también un entendimiento perfecto entre las dos partes implicadas. Cuando un alumno aprende una técnica, sea cual sea, es necesario que tenga confianza en su profesor y que se establezcan relaciones de amistad. Ocurre exactamente lo mismo entre nosotros y nuestro perro. Durante el proceso educativo, él es nuestro alumno. Tiene que aceptarnos como amo y querernos. Son raros los casos en los que el perro no logra congeniar con la personalidad del amo. En este caso, la elección del perro tiene mucha importancia.

Paciencia y buen humor

No debemos querer ir demasiado rápido con nuestro cachorro, porque los riesgos de fracasar se multiplican. La paciencia es la primera cualidad que debe tener el amo. Cuántas veces vemos a alguien hablar dulcemente a su cachorro que se niega a caminar con correa, para finalmente acabar arrastrándolo violentamente hasta casa. El cachorro recordará únicamente nuestro nerviosismo y será muy difícil renovar el aprendizaje.

Para ser pacientes tenemos que estar de buen humor, y siempre del mismo humor.

No podemos permitir que nuestra reacción ante un mismo disparate sea distinta en función del día. Si nuestro perro ha destrozado un par de zapatillas completamente nuevas estaremos enfadados. Un par de zapatillas es un par de zapatillas y no hay más que hablar. Tenemos que ser constantes con nuestras órdenes, con nuestras reacciones y con nuestra actitud dominante.

¿Cómo hacerlo? ¿Qué palabras utilizar?

Las palabras

Es necesario ser breves y constantes, y estar tranquilos.

SEAMOS BREVES

Las palabras tienen que ser cortas, al igual que el nombre del perro (debemos evitar los nombres largos: dos o tres sílabas son suficientes).

Las órdenes serán breves (diremos: «¡Ven!», y evitaremos decir: «Sabes, ahora tienes que venir porque hay que volver a casa»). Los amos tienen a menudo la impresión de que son secos al ser breves. Una sola palabra puede decirse también muy dulcemente. Una orden muy larga no se entenderá.

SEAMOS CONSTANTES

Tenemos que utilizar siempre la misma palabra para una misma orden. Si hemos elegido decir: «¡Sentado!», no podemos cambiar a: «¡Siéntate!» o «¡Colócate allí!». El perro creerá que se trata de una orden distinta.

Todos los miembros de la familia tienen que utilizar las mismas órdenes.

SEAMOS TRANQUILOS

Es preferible utilizar (si es posible) un voz grave, porque el perro está más atento. Esta es la razón por la que los perros escuchan más atentamente a los hombres que a las mujeres. Tenemos que evitar, sobre todo, los gritos. Un tono seco y autoritario es suficiente. Incluso una reprimenda tiene que hacerse con calma (pero con firmeza).

Tenemos que hablar lentamente y vocalizando bien, y no debemos utilizar nunca palabras que se puedan confundir y tomar por dos órdenes distintas, porque corremos el riesgo de que el perro no sepa distinguir la diferencia de sentido de los dos términos. Volveremos a hablar de los términos que debemos utilizar para el aprendizaje de cada orden.

Los gestos

No deben ser demasiado bruscos, para que no provoquen confusión y atemoricen al cachorro.

GENERALIDADES
El «contacto» con el animal obedece a ciertas reglas. Unos gestos de felicitación demasiado exagerados, acompañados de gritos de alegría, pueden provocar en el animal tal miedo que lo incapacite para repetir lo que acaba de hacer, aunque nosotros estemos muy satisfechos. Tenemos que acostumbrar también a los niños a la dulzura en la relación con el animal. Sus movimientos, a veces bruscos, pueden provocar reacciones de agresividad por parte del cachorro. Está claro que cada miembro de la familia tiene sus gestos característicos, pero se tienen que realizar siempre con dulzura (excepto en algunos casos, que veremos más adelante, en los que el aprendizaje exige firmeza en los gestos, como, por ejemplo, para caminar con la correa).

CARICIAS
La mano tiene que servir para acariciar y no para pegar. Observamos a veces perros atemorizados en cuanto acercamos la mano a su cabeza. Existe un gran número de caricias, y cada una tiene una significación particular que debemos conocer.

Las caricias sobre la cabeza, la nuca o el cuello se interpretan como un acto de dominación por parte del amo.

Las caricias debajo del cuello son, al contrario, muy agradables, e indican un gran afecto. Los golpecitos sobre el lomo, o incluso las grandes palmadas (según el tamaño del perro), son señal de amistad con un algo de dominación por parte del amo.

En la edad adulta estos significados desaparecen, a veces porque el perro comprende el comportamiento de su amo y aprecia también las pequeñas palmadas de amistad sobre la cabeza, si es la costumbre de este. Pero al comienzo de la educación es preferible utilizar estos signos, porque son los que el perro entiende de forma instintiva.

MOVIMIENTOS Y POSTURAS

Coger a un animal por la piel del cuello y zarandearlo es interpretado por el perro como un acto de cólera del amo. Esto no hace daño en ningún caso al perro, aunque aúlle. Si utilizamos este gesto, tenemos que mostrar seguridad. La firmeza se entenderá si es justa y si nosotros mismos creemos en ella. Y cada miembro de la familia tiene que utilizarla con la misma convicción y firmeza.

Repetimos que los gestos tienen que ser complementados con la voz. Si decidimos «reñir» a nuestro animal tenemos que hacerlo con un tono seco.

Los pequeños movimientos de los dedos son muy útiles. El perro los percibe muy bien. Tenemos que intentar obtener lo que queremos con los movimientos más sencillos. De este modo, toda la familia los podrá utilizar. Por

El perro percibe la caricia sobre la cabeza como un signo de dominación por parte del amo

Coger al animal por el cuello con firmeza y zarandearlo

ejemplo: el dedo que señala el cesto significa que debe ir a dormir.

Levantar a un cachorro del suelo y hablarle con una voz fuerte le impresiona mucho. Es una postura de dominación completa del amo, al igual que girar a un animal sobre la espalda y mantenerlo así. Algunos perros lo hacen además de forma natural presentando su vientre para que los acaricien. La sumisión del animal es total en ese momento.

Es importante manipular al cachorro desde muy pequeño, tanto durante el juego como durante el cepillado. Tienen que realizarlo todos los miembros de la familia. Esta manipulación le permite saber quién es el amo, y dejarse curar o limpiar más tarde. Es muy penoso encontrarse con animales «intocables» cuando, en realidad, no se les realiza ningún daño. Es importante aprender a acariciar al perro y a tocarlo aunque esto pueda parecer superfluo. Es lo que permitirá a nuestro animal entendernos correctamente.

La educación de un perro exige un conocimiento y un dominio de uno mismo perfectos, y también un control de los propios medios de comunicación, puesto que cualquier error puede tener consecuencias molestas. Quizá sea eso lo que significa ser un buen amo. Este autodominio adquiere su mayor importancia en la administración de las recompensas y los castigos, que abordamos a continuación.

▧ Recompensas y castigos

Veamos ahora cómo utilizarlos correctamente y, sobre todo, cuáles son las reglas que se tienen que respetar para no equivocarse pensando que se está actuando de forma correcta.

Actuar de forma positiva

Existe una educación llamada «positiva», que se basa esencialmente en las recompensas. Es lo que proponemos exclusivamente en este libro. En efecto, la educación punitiva no se puede practicar en familia, y quizá no sea la más aconsejada. Esto no quiere decir que el castigo tenga que excluirse de nuestra educación, sino que tiene que reservarse para situaciones muy particulares y utilizarse lo menos posible. La recompensa, por el contrario, será abundante y tendrá que darse cada vez que el animal haya actuado como el amo quería. La educación positiva utiliza lo más posible las actitudes y los comportamientos naturales del perro. Por ejemplo, aprovecharemos el momento en el que el perro se sienta para decirle: «¡Sentado!», y recompensarlo. El perro asociará entonces nuestra alegría o una golosina al hecho de que se haya sentado. Intentará empezar de nuevo, bien para agradarnos o para obtener un nuevo «caramelo». La recompensa aumenta mucho las posibilidades de reproducción de un comportamiento deseado por el amo, y es un método que se utiliza mucho en el adiestramiento de animales; las recompensas son a menudo la comida. La recompensa en la educación no será la comida cotidiana, sino algo inhabitual. Poco a poco, las recompensas serán más espaciadas y se mantendrá el comportamiento deseado.

El juego también se utiliza mucho en este tipo de educación, que es más larga que una educación punitiva, pero mucho más agradable para todos y más duradera.

Las recompensas permiten también establecer una relación muy armoniosa entre el perro y la familia. En efecto, es más agradable para todos buscar una situación que comporte caricias que no una que comporte golpes.

¿Qué recompensas o castigos podemos utilizar?

Naturaleza de las recompensas y de los castigos

Tienen que ser inmediatas. No intentemos humanizar a nuestro animal proporcionándole un juguete dos días después de una buena actuación. No relacionará una cosa con la otra.

LAS RECOMPENSAS
La recompensa debe tener un valor inhabitual, excepcional. Es el equivalente de un regalo. El perro tiene que poder compren-

der que estamos contentos. Únicamente de esta forma repetirá lo que le pedimos, esperando provocar con ello nuestra alegría. El comportamiento, una vez adquirido, ya no necesitará de tales recompensas.

Pueden ser golosinas, si no tiene la costumbre de comerlas. Pero cuidado, no es necesario cebar a nuestro perro. Con un pequeño pedazo es suficiente; no hace falta darle toda la caja, aunque estemos muy contentos, porque finalmente ha aprendido a hacer sus necesidades en el exterior. (Se recomiendan las galletas para perro.)

También puede tratarse de caricias abundantes acompañadas por «palabras dulces» o simplemente frases afectuosas. Esto depende de nuestra naturaleza y de la de nuestro perro. Algunos amos son muy expansivos y prefieren los grandes abrazos a las galletas. Sobre todo no debemos «sentir vergüenza» al felicitar a nuestro animal.

LOS CASTIGOS

También esto tendrá que ser algo excepcional. Encerrar al perro en nuestra habitación o en su caseta no tiene sentido si normalmente puede ir allí cuando quiere. Por el contrario, meterlo en el garaje donde él no va nunca puede percibirse como un castigo. Debemos evitar golpear a un perro con la mano: la mano tiene que ser únicamente una «herramienta» para las caricias. Del mismo modo, la correa tiene que utilizarse únicamente en los paseos. Si queremos castigarlo, podemos utilizar un periódico, pero no tenemos que pegarle nunca con la intención de hacerle daño: podemos perder el control y sería peligroso. Podemos hacerle sentir miedo, pero el dolor físico no da nunca buenos resultados. Además, es necesario que este castigo sea accesible a todos. Lo más sencillo es agarrar al animal por la piel del cuello (como un conejo) pero sin levantarlo del suelo (apoyaremos la cabeza contra el suelo). Aullará porque, aunque no le duele, no le gusta de ningún modo. Lo soltaremos únicamente cuando deje de intentar soltarse y deje de aullar.

Ignorarlo completamente también es percibido como un castigo. Al perro no le gusta que su amo ya no se ocupe de él.

¿Cuándo castigar?

Ya hemos visto que el castigo tiene que utilizarse de forma excepcional. Por lo tanto, es necesario estar seguro de que vale la pena, e intentar no ser injusto.

Un error importante

Tenemos que asegurarnos de que el comportamiento anormal del perro es realmente debido a un error en su aprendizaje, y no a una causa inhabitual. Será en efecto preferible suprimir la causa que reprimir de forma equivocada.

Si nuestro perro, por ejemplo, ladra en su caseta y es algo que nosotros le hemos prohibido formalmente, tendremos que ir a comprobar si alguien está poniéndolo nervioso o si un gato se encuentra cerca. De otro modo, el castigo se vivirá como una injusticia.

Una orden a su alcance

También tenemos que prestar atención a lo que pedimos a nuestro animal. Es inútil castigar por una orden no obedecida que está claramente por encima de sus posibilidades, bien porque es demasiado joven o porque no se encuentra dentro de sus capacidades.

Si pedimos a un fox terrier que no ladre cada vez que alguien pasa por delante de nuestra valla, nos costará mucho que nos obedezca y una educación por recompensa será más adecuada. Será preferible recompensar al animal cuando deje de ladrar y no reñirle en el caso inverso.

¿Ha comprendido bien?

Tenemos que asegurarnos de que nuestro animal ha comprendido bien lo que le hemos dicho. No debemos «saltar» a la primera ocasión para castigarlo. Debemos tomarnos el tiempo de repetírselo y de «decírselo» de otra forma.

Siempre tenemos que castigar una misma falta: si nuestro perro nos roba la comida no debemos reñirlo sólo cuando se trate de un buen pedazo de carne, también debemos reñirlo por un pedazo de pan rancio.

> *Es necesario castigar, con calma y serenidad, una falta que valga la pena, pero es preferible no utilizar esta forma de educación.*

Las reglas de base

Existen algunos principios que se tienen que respetar para optimizar estos métodos de educación.

RECOMPENSAS

Tienen que ser sistemáticas al principio y luego espaciarse. Tenemos que hacer esto una vez sobre dos y luego una vez sobre cuatro, etc. De lo contrario, el perro tendrá la sensación de que se trata de algo completamente normal y ya «no jugará más a este juego». Nuestra satisfacción será normal para él y ya no la buscará más. Así pues, esta búsqueda de la alegría del amo es la base de la educación positiva. No debemos tener miedo a ser ridículos. Una recompensa tiene que verse: grandes caricias, expresión de alegría (sin atemorizarlo). No obstante, no debemos otorgársela ante la realización incompleta de una orden. Si el perro nos ha pedido salir pero ha realizado sus necesidades sobre el felpudo, no vale; tiene que ir fuera para obtener la recompensa.

CASTIGOS

El castigo no debe distanciarse nunca del momento del disparate, ni tan siquiera un instante. Si el animal ha hecho sus necesidades en la casa durante nuestra ausencia, no comprenderá en ningún caso por qué lo reñimos al volver. Peor todavía: asociará el castigo a nuestro retorno. Es por esta razón que algunos amos piensan que el perro «sabe que ha actuado mal» porque se esconde cuando vuelven ellos. El perro tiene simplemente miedo del retorno de su amo. Además, puede ser que no haya podido impedir hacer un disparate. Si lo reñimos en diferido, se esconderá en cuanto lleguemos, aunque no haya hecho nada malo.

También tenemos que evitar que sea siempre la misma persona la que riña al animal (si es posible, claro). De lo contrario, el perro ya no aceptará signos de afecto de esta persona. Representará para él el padre azotes.

Debemos mantener siempre la calma. El nerviosismo amplificará el castigo de forma equivocada.

El castigo tiene que detenerse inmediatamente después de un signo de sumisión del animal. Si nuestro perro orina por miedo o se tumba en el suelo no debemos continuar riñéndolo. Ya lo ha comprendido.

No debemos tener nunca remordimientos, se trata de una regla universal. El que ha castigado, al igual que los demás miembros de la familia, no deben ni «desmoronarse» ni consolar al animal.

Pasaremos a continuación al estudio de nuestra personalidad y al del carácter de nuestro cachorro.

▇ Nosotros y nuestro perro

Ya hemos visto antes cómo comunicar con *un* perro y luego cómo comunicar con *nuestro* perro. Más tarde, hemos visto cuáles son las reglas generales de la educación, es decir, cómo educar *un* perro. Abordaremos ahora las bases de la educación de *nuestro* perro.

Las relaciones que estableceremos con nuestro animal estarán íntimamente relacionadas con su carácter, su personalidad y la nuestra. Del mismo modo, nuestra forma de vida influirá en el tipo de educación. No se pide lo mismo a un perro que vive en un apartamento y que no debe molestar a los vecinos que a un animal que vive en un inmenso terreno y que puede ladrar todo el día sin molestar a nadie.

La educación tiene que ser esmerada en función de estos numerosos parámetros para adaptarse plenamente al trío amo/perro/entorno. Una educación «personalizada» de este tipo proporcionará resultados más satisfactorios y mucho más rápidos. Además, el peligro de fracaso disminuye porque los principios adoptados por el amo no se encuentran en oposición con su personalidad y corresponden a la naturaleza del perro: si no deseamos ejercer sobre nuestro animal una autoridad «cotidiana», tendremos que buscar un perro que obedezca «de forma natural», es decir, que acepte responder a nuestras órdenes sin intentar rebelarse (un bouvier bernois, por ejemplo, es un perro «fácil», al contrario de un rottweiler, que puede ser muy simpático pero no en manos de cualquiera).

Se plantea entonces el problema de la elección de un animal adaptado a la personalidad y a las condiciones de vida del futuro amo. Hablaremos de ello al final del capítulo, para ayudarnos en esta etapa a veces tan difícil.

El carácter del perro depende esencialmente de su raza en líneas generales, de sus condiciones de vida anteriores a la adquisición y de su personalidad intrínseca como cachorro.

¿Cómo detectar un eventual problema y conocer perfectamente a nuestro animal antes de educarlo?

Nuestro perro

Estudiaremos los parámetros que moldean su carácter.

SU VIDA «ANTERIOR»

No hablaremos aquí de la reencarnación, sino simplemente de lo que ha pasado desde el día del nacimiento hasta el día de su llegada a nuestra casa. Si podemos adquirir nuestro cachorro cuando sólo tiene dos meses, será perfecto. En general, ha permanecido al lado de su madre y nunca ha tenido amo. Pero es muy importante conocer sus condiciones de vida antes de los dos meses.

Es necesario saber si ha vivido en una perrera, como sucede en algunos criaderos. Los cachorros permanecen en ese caso con su madre en una gran jaula y hacen sus necesidades sobre un enrejado (planchas de madera). Este detalle es muy importante porque el cachorro, al estar acostumbrado a esta superficie, rechaza a veces hacerlo sobre un periódico o fuera.

Si, en cambio, es nuestro vecino quien ha hecho criar a su perra, las condiciones de vida al principio serán más parecidas a las que le ofreceremos.

Por otra parte, si adoptamos un cachorro de un inmenso refugio, es evidente que las condiciones de vida, por muy respetables que sean, habrán sido bastante duras para él, y la falta de afecto que ha sufrido se reflejará más adelante.

Todas estas informaciones nos permitirán entender las reacciones de nuestro animal y corregir sus «defectos» rápidamente, con más o menos firmeza.

SU RAZA

Cada raza posee sus propias características, tanto físicas como de comportamiento. Esto permite predecir, en parte, el futuro carácter del cachorro. Si se trata de una mezcla de dos razas puras, generalmente predomina una de ellas. En cambio, si se trata de un «pura raza bastardo» proveniente de varias generaciones de cruzados, tendremos que adivinar su carácter de otra forma.

También tenemos que tener en cuenta el carácter intrínseco del cachorro. Dos cachorros de la misma raza pueden tener caracteres distintos: dominado, dominante, etc.

Cuando tengamos las características de la raza definidas, nos encontraremos con otro factor que interviene para formar el carácter del cachorro: su personalidad como «cachorro único». Una serie de pruebas permiten evaluar su futuro comportamiento.

LOS TEST DE CAMPBELL

A continuación, encontraremos varios ejercicios que podemos realizar inspirados en los test de Campbell. Es inútil proporcionar aquí los test completos, puesto que, para que sean válidos, tienen que realizarse en un lugar tranquilo, sin estímulos externos, y los debe realizar un profesional (generalmente en una habitación completamente blanca, sin ruidos). El objetivo es determinar si tenemos un animal dominante o dominado. Saberlo permite entender sus reacciones y no ceder si nos encontramos ante un dominante que nos «planta cara». Por otra parte, no debemos ser demasiado «brutales» con un dominado, en quien la más mínima riña toma proporciones enormes.

1. Colocaremos a nuestro cachorro de espaldas sobre el suelo.
   Lo mantendremos de este modo con nuestras manos. Un ca-

chorro de carácter sumiso aceptará esta posición, y un dominante intentará librarse de nuestra influencia.

2. Levantaremos a nuestro cachorro por el aire sujetándolo con nuestras manos bajo su vientre. Sucede lo mismo que en el caso anterior: el dominado acepta esta posición, y el dominante no.

3. Colocaremos a nuestro cachorro en un rincón de la habitación. Nos alejaremos y daremos una palmadas para hacerlo venir. Si viene rápidamente con la cola alta es dominante. Si duda y viene con la cabeza baja e intranquilo, es dominado.

También existen caracteres «indiferentes». El cachorro se encuentra entre los dos y no plantea ningún problema de educación. ¡Es una joya!

> *Cuidado: el hecho de que nuestro animal sea un dominante no debe comportar que ocupe un lugar de dominante. Como veremos más adelante, nuestro perro tiene que ocupar siempre un lugar de dominado en la familia.*

Ahora que ya hemos situado a nuestro animal, gracias a su raza y a los test del carácter, nos queda únicamente «testar» al amo.

Nosotros

La educación del perro varía en función de la personalidad del amo y de sus condiciones de vida: «De tal amo, tal perro.» En efecto, esto «influirá» de distintas formas sobre él.

Si dos cachorros de la misma raza y de la misma camada son criados por dos amos de caracteres opuestos, no tendrán el mismo comportamiento. Este conocimiento de nosotros mismos permite prevenir nuestras reacciones y tener muy claro a qué órdenes daremos prioridad en función de nuestra forma de vida.

Los parámetros que debemos tomar en consideración son: forma de vida del amo, carácter, actividades y situación familiar de este, entorno y papel del perro. Vamos a hablar con más detalle de esto.

Nuestra forma de vida

Las condiciones de vida del amo establecen la prioridad que se da al aprendizaje de ciertas órdenes.

La educación del perro no es la misma en un pabellón que en un apartamento. En un apartamento, por ejemplo, tendremos que enseñar rápidamente a nuestro cachorro a no ladrar, aunque esto no nos moleste a nosotros, porque sí que molestará a los vecinos. Si nos encontramos en un pabellón sin rejas, una de las primeras órdenes que debemos enseñar es la de «¡Quieto, aquí!», para evitar las fugas.

Estos ejemplos nos permiten tomar consciencia de cómo debemos educar en función de las necesidades que imponen las condiciones de vida, aunque sea inútil seguir un orden. Se trata simplemente de dar prioridad a algunas órdenes.

Nuestro carácter

Debemos hacer que algún amigo nos lo analice, porque nosotros mismos no seríamos muy objetivos. Lo importante es saber si somos de naturaleza más bien dulce o más bien autoritaria. Esto parece muy sencillo de decir, pero a menudo es más difícil de reconocer. En los dos casos, será necesario «cambiar» un poco nuestra actitud. La educación exige un poco de autoridad, sin más. Si somos más bien blandos, tendremos que intentar mostrarnos más firmes que de costumbre durante las primeras semanas de la educación. A continuación se establecerá una relación de confianza con nuestro perro y podremos ser de nuevo nosotros mismos. Al contrario, no debemos ser demasiado duros si somos de naturaleza autoritaria.

Nuestra situación familiar

Si vivimos en pareja con niños, el cachorro se hará enseguida muy sociable y el aprendizaje de los demás (animales y personas), como veremos, será bastante rápido. En cambio, si vivimos solo(a), tendremos que insistir sobre este aspecto de la educación. Esto puede parecernos superfluo, porque estamos solos, pero no podemos esperar al día que tengamos un «invitado(a)» para hacer comprender a nuestro perro que no puede dormir a los pies de nuestra cama ese día.

Estudiaremos algunos ejemplos de razas de perros adaptadas a ciertas situaciones.

¿Qué elegir?

Aquí tenemos una tabla de elección de razas. Sólo se trata de ejemplos de razas adaptadas a un parámetro que interviene en la adquisición de un animal. Las características que se han tomado

VIVIENDA		
Apartamento	*Casa con vecinos*	*Casa sin vecinos*
Bichones Lhassa-Apso Shetland Carlin	Bobtail Leonberger Bouvier	Doberman Beauceron Pastor alemán
SITUACIÓN FAMILIAR		
Persona sola	*Pareja con hijos*	*Pareja sin hijos*
Griffon belga Bichones Lhassa-Apso Pequinés	King Charles Labrador Terrier	Colley Welsh corgi Bulldog francés

EDAD	
Persona mayor	*Persona joven*
Bichones King Charles Schipperke (Tenemos que evitar los perros muy fuertes, incluso los pequeños, puesto que pueden hacer caer al amo)	Labrador Airedale terrier (perros fogosos)

en cuenta son, en cambio, «universales». Esto nos permitirá, después de un estudio personal, elegir un cachorro o saber si el que acabamos de escoger a partir de una corazonada es el correcto. Pero debemos tranquilizarnos porque si lo criamos correctamente se convertirá por fuerza en «el bueno». Elegir bien permite sobre todo una educación más fácil y más rápida.

El objetivo de este libro no es el de ayudar a elegir un perro; por lo tanto, tendremos que documentarnos mucho si queremos obtener buenos y completos consejos sobre este tema.

Ahora ya comprendemos a nuestro perro, sabemos «hablarle», conocemos sus necesidades, sus puntos de referencia. Conocemos también nuestras reacciones, y es el momento de poner en práctica todas estas nociones generales, aplicarlas y enseñarle a nuestro perro las órdenes de base. La educación empezará en cuanto pasemos esta página.

Antes de esto, tenemos que recordar que nos encontramos ante un animal «dotado de razón» y sobre todo de sentimientos. Tiene su carácter, también tiene derecho a estar de mal humor y demostrarlo. Intentemos entender siempre por qué se rebela de golpe, por qué ya no nos escucha. No debemos aplicar las reglas que proporciona este libro de forma mecánica. Debemos tomarlas como consejos. Debemos fiarnos también de nuestra intuición. Nosotros vivimos de forma permanente con nuestro cachorro, por lo que lo conocemos mejor que nadie. No debemos escuchar mucho a los vecinos, para quienes todo funciona a la perfección. Siempre va todo mejor en casa de los demás... por lo menos en apariencia. Debemos tranquilizarnos: la educación de su perro, tan perfecto, también les ha causado algunos problemas. Basta con mirar únicamente el estado en el que se encuentra el sofá que han colocado en el garaje. No debemos dejar de releer los primeros capítulos de este libro durante los primeros meses de la educación. Las tablas sobre los principios básicos de educación (véase pág. 89) nos permitirán recordar ciertas nociones indispensables.

Ahora ya disponemos de todo lo que necesitamos saber sobre nosotros y sobre nuestro perro, y estos pequeños secretos nos permitirán personalizar las bases generales de la educación que propone el próximo capítulo.

¡Sumerjámonos juntos en el universo de la educación!

Las enseñanzas de base

- **Cómo acostumbrar a nuestro perro a que sea limpio, a saber estar solo, a caminar con correa**
- **Enseñarle la llamada y las demás órdenes fundamentales para su educación**
- **Cómo organizar sus comidas, canalizar sus pulsiones, jugar con él**

Encontraremos en este capítulo una serie de comportamientos fundamentales que debemos enseñar a nuestro animal. No se han clasificado según la importancia.

De todos modos, lo más inmediato y necesario es el aprendizaje de los hábitos de limpieza y también la llamada y las otras órdenes fundamentales: «¡Sentado!», «¡De pie!», «¡Quieto!», «¡Tumbado!».

Para el resto, nosotros mismos debemos decidir qué lugar ocuparán algunas órdenes en nuestra educación.

En efecto, si estamos seguros de que no dejaremos nunca solo a nuestro animal, el aprendizaje de la soledad no será urgente en esta situación.

En cualquier caso, no debemos abandonar este aprendizaje ni siquiera cuando se dé la situación citada antes, puesto que nuestra forma de vida puede cambiar de manera imprevisible. Un perro que ha sido educado de forma completa puede adaptarse a todas las situaciones, aunque algunas sean excepcionales para él.

¿Cuándo empezar?

Recordemos que la educación tiene que empezar el primer día que el cachorro pasa en casa. Lo ideal es adquirir un cachorro de dos meses de edad para realizar una educación personalizada y completa. Si el animal ya ha recibido un aprendizaje por parte de otro amo, la personalización de la educación será más larga, pero si el animal es joven, todavía será posible. Si, en cambio, nos dan un cachorro de un mes de edad, debemos esperar a que tenga dos meses para empezar.

La naturaleza y el juego

Los métodos de aprendizaje que proponemos se basan en las capacidades naturales del cachorro. Debemos mantener siempre en la cabeza el aspecto lúdico de este aprendizaje. El juego como tal se utilizará mucho. Ya hemos precisado que no se trata en ningún caso de sesiones de ejercicios de unos minutos por día, sino de un aprendizaje continuo y dictado únicamente por las necesidades del amo, del perro y por la situación.

Antes de abordar «la limpieza», veamos cómo atraer la atención de nuestro animal para facilitar su educación.

La escucha

Ya hemos visto cómo hacernos entender por nuestro perro y cómo escucharlo, pero también él tiene que escucharnos. No es natural que un cachorro preste atención a otra «persona» que no sea su madre. En efecto, entiende tan bien sus ladridos o gruñidos que no se interesa por nuestro lenguaje. Así pues, debemos llamar su atención. Será necesario enseñarle a «escuchar» lo que le decimos sin distraerse.

La escucha comprende también la obediencia de base. Es mucho más difícil aprender estas dos nociones de forma general que a través de órdenes precisas. Estos son sólo los primeros consejos que tendremos que poner en práctica en cada aprendizaje.

El primer día en casa

Para que el cachorro tome conciencia de su nuevo entorno (espacio y personas), debemos hacerle visitar el lugar y aclararle rápidamente los límites que se le imponen. Esta noción de límite territorial es el primer paso hacia la obediencia y hacia la escucha del amo. Hablaremos de forma más completa de ello en el aprendizaje del espacio.

SU ESPACIO

Debemos decidir en familia, preferiblemente antes de la llegada del cachorro, el lugar en el que lo colocaremos: un pequeño rincón en el comedor o en la entrada, etc. Este será su primer refugio. Instalaremos un cojín. Tendrá que dirigirse a este lugar cuando nosotros se lo digamos.

SU FAMILIA

Tenemos que evitar enseñarlo a todos los amigos y vecinos el primer día. Tiene que tener muy claro quiénes son los miembros de *su* familia. Esto le permitirá saber a quien tiene que escuchar. Además, el cachorro se encuentra a veces algo estresado al haber dejado su «familia natal», y es difícil y cansado para él ver un desfile de gente en casa desde su llegada.

Volvamos ahora al tema de la elección del nombre del cachorro, un tema muy importante.

Su nombre

La forma más simple para el amo de llamar a su perro es asignarle un nombre. No se trata de algo tan absolutamente ridículo como creen algunas personas, que piensan que es otorgar demasiada importancia al animal.

LA ELECCIÓN DEL NOMBRE

Como ya hemos dicho, la elección del nombre es muy importante.

Para los perros de pura raza, existe cada año una letra con la que tiene que empezar el nombre del perro, que obtendremos en la RSCFRCE (Real Sociedad Central de Fomento de las Razas Caninas en España). No es obligatorio. A menudo los amos bautizan de nuevo a los cachorros de los criaderos, que tienen a veces nombres «imposibles». Lo esencial es elegir un nombre corto que «suene» bien. También es muy importante que el nombre sea del agrado de todos los miembros de la familia, y que tenga un cierto significado para todo el mundo. (A veces se da al cachorro el nombre de un pintor o de un deportista, y esto no es ridículo.)

En efecto, si el nombre del animal no gusta a nuestro marido o a uno de los niños y lo llaman de forma distinta, esto no es nada positivo para su educación. También tenemos que evitar los diminutivos. El perro no comprenderá siempre que nos referimos a él.

No hay que olvidar tampoco que nuestro perro tiene que estar dispuesto a aprender. Forzarlo un poco a veces puede ser bueno. Imponerle de forma autoritaria caminar con correa, por ejemplo, será desastroso.

Nosotros también debemos estar de buen humor; si no soportamos que cometa el más mínimo error, es inútil intentar ir más lejos.

«De tal amo, tal perro»: tenemos que educar bien a nuestro perro, porque siempre remarcarán más sus defectos que sus virtudes y pueden llegar a compararlos con los nuestros.

Empecemos con el aprendizaje de la limpieza.

■ La limpieza

Normalmente , el aprendizaje de la limpieza es el que preocupa más a los amos. A menudo tienen mucho miedo de no conseguirlo y de tener que limpiar durante toda la vida las necesidades del perro. Pero tenemos que tranquilizarnos, porque esta situación es muy rara.

¿Cuándo y por qué?

Sobre todo no debemos preguntar a nuestro alrededor a qué edad los animales se vuelven limpios, porque esto varía de un perro a otro. El único resultado que obtendremos es asustarnos si el nuestro está un poco «atrasado». No debemos inquietarnos antes de los siete u ocho meses, aunque la norma se sitúa entre los cuatro y los seis meses.

El porqué de la limpieza no se plantea (aunque algunos amos que poseen perros pequeños, del tipo york o chihuahua, no siempre están convencidos de que sea indispensable que realicen sus necesidades fuera): ¡los retretes para perro están fuera! (Veremos también que no deben hacer sus necesidades en cualquier sitio.) No es muy saludable que un perro haga sus necesidades siempre sobre una moqueta o en el balcón, aunque se trate de un perro de pequeño tamaño.

El primer aprendizaje es el más importante

El aprendizaje de la limpieza es el primero que se tiene que poner en marcha. Las malas costumbres sobre este tema son muy difíciles de eliminar y la reeducación de un animal sucio es muy delicada.

Este aprendizaje condiciona a menudo todos los demás, porque si el amo no lo consigue se sentirá incapaz de criar a un perro o considerará que el suyo no entiende nada. Entonces, las relaciones amo-perro se degradan mucho, y son poco propicias a una educación fácil y satisfactoria.

Por lo que respecta al plano anatómico, el control de los esfínteres (lo que les permite «retener») no es completo antes de los cuatro meses. El cachorro comprende bastante rápidamente (hacia los dos o los tres meses) que debe hacer sus necesidades fuera del lugar donde duerme (lo aprende de su madre, que lo rechaza del «nido» para que haga sus necesidades). Le es más duro asimilar que tiene que hacerlo fuera de la casa. En un primer tiempo, puede hacerlo en la casa pero en un lugar preciso; luego tiene que salir lo más rápidamente posible.

Las reglas de base

El aprendizaje será fácil si respetamos estos cuatro principios.

No esperar

El aprendizaje tiene que hacerse entre los tres y los cinco meses. «Yo, espero que sea más grande y que entienda que tiene que hacerlo fuera.» No debemos seguir este consejo que algunos amos adoptan, de forma equivocada. En efecto, el cachorro de tres meses comprende fácilmente las órdenes que le damos.

Los pequeños accidentes

De todos modos, debemos saber que existe durante un cierto tiempo la posibilidad de «accidentes», incluso en un animal que ya es limpio. No debemos aceptarlos, pero sí tolerarlos. Del mismo modo debemos perdonar los pequeños descuidos debidos a la emoción. Los castigos se tienen que olvidar formalmente durante el aprendizaje de la limpieza. El aprendizaje de la limpieza es un ejemplo de una educación positiva a base de recompensas. Es útil recordarlo, puesto que algunos amos no soportan «dejar pasar» los pequeños pipís por el suelo.

La limpieza

No debemos limpiar nunca los «estragos» delante del animal: nuestra posición en cuclillas y con una esponja o un trapo en la mano lo incitarían al juego. No debemos castigarlo, pero tampoco debemos mostrarnos contentos cuando se olvide. Colocarle la nariz encima es bastante negativo. El perro no siente un asco particular por sus deposiciones, pero, al sentir nuestra repulsión, la próxima vez lo hará bajo una cama para que no lo veamos (esta es además la prueba de que entienden muy bien incluso cuando son pequeños). También puede llegar a comerse sus deposiciones para hacerlas desaparecer.

Reducir «la casa»

No podemos evitar los «lavabos» en la casa, porque el cachorro tiene que estar totalmente vacunado antes de salir a la calle (aunque existen desde hace poco vacunas que permiten sacarlos antes). El tiempo durante el cual el cachorro hace sus necesidades en la casa tiene que ser lo más corto posible.

Veremos ahora cómo actuar de forma natural para obtener un cachorro limpio sin sufrir estrés y rápidamente.

En casa

Nunca debemos perder de vista lo siguiente: *un animal limpio es un animal que hace sus necesidades fuera y no sobre un periódico en casa.*

LOS «RETRETES»

En la casa, el cachorro necesita tres espacios de vida bien diferenciados (volveremos a hablar de ello en el aprendizaje del espacio): uno para comer, uno para dormir y uno para vivir y jugar.

¡No debemos mezclarlo todo!

En la práctica, esto significa que debemos evitar colocar los periódicos para sus necesidades justo al lado de la escudilla o del cojín para descansar.

Debemos delimitar una zona para las necesidades: lo más sencillo es en el lavabo o en un rincón de la cocina (opuesto al rincón de comer). Colocaremos algunos periódicos. Debemos evitar la fregona, que está siempre húmeda y es poco agradable al contacto. Un lugar interno de la casa es preferible al balcón, puesto que el cachorro no establecerá claramente la diferencia con la calle, y esperará luego a entrar para hacer sus necesidades en el balcón. De la misma forma, si estamos en un pabellón, debemos evitar que haga sus necesidades en el jardín. Las deposiciones del perro no molestan en un principio, pero a menos que se tenga un bosque como jardín, nos encontraremos enseguida recogiendo las de nuestra pequeña bolita que ahora pesa 40 kg. Podemos acercar, poco a poco, los periódicos a la puerta de entrada. Esto nos permitirá sacarlo enseguida en cuanto se coloque «en posición».

LOS SIGNOS PRECURSORES

A continuación, debemos observar la vida de nuestro perro durante el día y detectar los indicios reveladores de las ganas de hacer pipí. El cachorro acostumbra a girar en círculos, a oler por el suelo, y luego se agacha. En ese momento todo depende de nosotros y debemos ser rápidos.

Debemos colocarlo enseguida sobre los periódicos y, cuando haya acabado, recompensarle (caricias, golosinas para perros, etc.).

> *La clave de la limpieza está en detectar el momento, en la rapidez y en las recompensas.*

Para obtener esta manifestación de alegría, el cachorro se situará por sí mismo sobre los periódicos.

Pero, en ese momento, debemos «empujarlo» enseguida a hacerlo fuera.

Fuera

El problema en casa es que es necesario observar continuamente al cachorro para detectar enseguida sus necesidades. La ventaja de obtener una limpieza en el «exterior» es que el perro «coge un ritmo». De esta forma, podremos sacarlo a horas regulares sin tener que observarlo constantemente.

DURANTE EL DÍA

El nuevo obstáculo es el hecho de que el perro tiene que «pedir» para salir o tiene que esperar la hora del paseo. Ya no puede ir sobre su periódico cuando tiene ganas de hacer sus necesidades.

Así pues, durante los primeros días, tendremos que decidir por él y adelantarnos a sus deseos.

También es muy importante regularizar sus necesidades. Remarcaremos rápidamente que el cachorro elimina después de una buena siesta y después de las comidas. También remarcaremos que un cachorro duerme a menudo y come a menudo. Así pues, tendremos que sacarlo a menudo.

El ritmo que tenemos que adoptar es el siguiente: sacar al animal después de las comidas, después de los periodos de siesta y después de los momentos de juego. Ya no debemos esperar los signos precursores de las necesidades, puesto que el tiempo de prepararnos, colocar la correa, coger el ascensor... demasiado tarde, y en el ascensor, precisamente.

Es preferible alimentar al cachorro a horas fijas y no darle nada entre comidas. Esto facilita la regularidad de sus deposiciones.

Una vez fuera, nos limitaremos a una zona precisa para que haga sus necesidades: uno o dos árboles, por ejemplo, en una calle tranquila para no asustarlo (los olores que se impregnarán en el árbol le estimularán para las siguientes salidas). Cuando haya terminado, y sólo en ese caso, extenderemos la zona de paseo. Debe comprender que primero tiene que hacer sus necesidades y luego pasearse. ¡De lo contrario esto puede durar varias horas! Si hace sus necesidades rápidamente no debemos volver enseguida, porque podría retenerse para prolongar la salida.

No hay que tener miedo de hacer el ridículo al recompensarlo. Es necesario que el perro sienta nuestra «inmensa alegría». Más adelante, esperará con ilusión el momento del paseo para hacer sus necesidades y suscitar nuestra alegría. Cuando el ritmo ya se ha establecido, retenerse y hacer sus necesidades fuera se vuelve natural para él. Las caricias ya no son por fuerza necesarias.

POR LA NOCHE
Evidentemente, está fuera de lugar sacar al perro durante la noche (a menos que esto se corresponda con nuestro ritmo de vida). Pero podemos, en cambio, sacarlo por la noche lo más tarde posible y lo más temprano posible por la mañana en función de nuestros horarios. Al principio, el perro hará sus necesidades durante la noche sobre los periódicos y luego se retendrá. Si hace sus necesidades en la cocina sobre los periódicos no debemos recompensarle por la mañana (como hacíamos antes). No debemos decirle nada. En cambio, el día en que encontramos la cocina limpia, lo sacaremos en cuanto nos levantemos y le mostraremos nuestra alegría. Para ayudarle a retenerse durante la noche podemos quitarle el agua hacia las siete de la tarde, y con esto evitaremos las necesidades demasiado apremiantes.

EL CANAL

Es importante no olvidarse de este aprendizaje. Los transeúntes sienten, en efecto, la misma repugnancia por las deposiciones sobre la acera que los amos por las deposiciones de su perro sobre su moqueta.

Lo más sencillo para enseñarle es pasearnos por el borde de la acera para que haga sus necesidades en el canal que va a las alcantarillas. Cuando el animal esté en posición, lo llevaremos con cuidado hacia aquí. Esto nos evitará tener que trasladarlo del lugar de paseo hasta el canal y... llegar demasiado tarde.

Veremos en el capítulo dedicado a los fracasos (pág. 125) las razones por las que algunos perros no son siempre limpios de adultos. Si limitamos al mínimo el tiempo durante el cual el perro hace sus necesidades en el interior, y si no estamos demasiado estresados con la idea de equivocarnos, los riesgos de fracaso son mínimos.

Ahora ya estamos preparados para asegurar la limpieza del cachorro. Un último consejo: si queremos ir deprisa, tomémonoslo con paciencia y con tiempo.

Pasaremos ahora al aprendizaje de la soledad.

▉ La soledad

Intentaremos entender cuál es el interés de este aprendizaje en la vida del perro y del amo.

¿Por qué?

A menudo es muy delicado enseñar a estar solo a un cachorro, ya que los amos no siempre están convencidos de la utilidad de este aprendizaje. Esta actitud de los dueños suele conducir a muchos fracasos.

En efecto, hemos explicado que el amo tiene que estar seguro de sí mismo, tiene que creer y estar convencido para que el perro confíe en él y aprenda con rapidez.

En la ciudad y en un apartamento, el perro tiene que saber quedarse sólo sin «aullar como un loco». Las personas que nunca han tenido que soportar los aullidos de un cachorro abandonado en un apartamento no pueden comprender la gravedad de la situación. Tenemos que evitarla a toda costa. Y sobre todo, si esta situación se produce, aunque sólo sea una vez, no debemos defender a nuestro animal minimizándola: son raras las personas que acusan a nuestro perro de aullar con mala fe y sin razón.

Debemos informar a nuestros vecinos de la adquisición de un cachorro: esto nos evitará recibir quejas desde el primer día. También debemos tener presente que no porque peguemos la oreja a la puerta durante tres minutos el primer día al salir y no oigamos nada esto quiere decir que nuestro perro no va a aullar el resto del día. Debemos estar convencidos de la utilidad de este aprendizaje, puesto que aunque nadie sufra los ladridos de nuestro perro, este soportará mal la situación si no está acostumbrado a ella. Si no es capaz de estar solo, su ansiedad repercutirá sobre su comportamiento y pueden aparecer algunos trastornos (mutilaciones, destrucción, depresión). Lo veremos con más detalle en «Los fracasos: causas y consecuencias», pág. 125.

¿Cuándo?

Si adquirimos un cachorro durante nuestro periodo de vacaciones, rápidamente debemos acostumbrarlo sobre todo a permanecer solo. No debemos esperar a la vuelta al trabajo: sería demasiado duro para él. Si se ha pasado los quince días de Navidad mimado por todos, reaccionará muy mal cuando vea cómo se vacía la casa de gente un lunes por la mañana.

Nuestra partida

El punto esencial de este aprendizaje es el de no «ritualizar» nuestra despedida: es decir, no dar signos evidentes y repetitivos cada vez que nos vamos (buscar las llaves, ponerse el abrigo, abrazar al perro, etc.).

El ritual

Tenemos que evitar, al menos al principio, que el cachorro note los signos de una ausencia próxima y nuestra eventual ansiedad. Si el propio amo se culpabiliza de dejar al animal solo, este demostrará su ansiedad antes de que el amo se vaya, lo que a su vez aumentará la culpabilidad del amo, y todo esto afectará de forma negativa a la situación. El punto de partida de este círculo vicioso será la actitud del amo. Dando importancia a una situación que tiene que ser natural (el amo se va y el perro se queda solo), se crea una doble ansiedad (la del amo y la del animal). El miedo de uno activa el miedo del otro, y viceversa.

Tenemos que evitar llenar, por ejemplo, la escudilla del perro antes de irnos como si no fuéramos a volver en quince días. Puede esperarse hasta la noche para comer. Al cachorro le encantará que nos ocupemos de él con tanto cuidado y luego, cuando nos vayamos, se quedará sorprendido y decepcionado al vernos marchar.

No es positivo acariciarlo como si no fuéramos a verle más y colmarlo de palabras amables. El sentimiento de abandono será mucho más fuerte después de estas expresiones de ternura.

Tampoco debemos irnos a escondidas y sin hacer ruido. El perro tiene que ver cuándo nos vamos.

Las precauciones que debemos tomar

Lo único que tenemos que hacer es predecir nuestra partida y no empezar, por ejemplo, a jugar con la pelota cinco minutos antes de dejarlo solo.

Lo más sencillo es no ocuparnos de él el cuarto de hora antes de nuestra marcha. Debemos dejarlo tranquilamente en su rincón.

Tenemos que preparar nuestras llaves y el abrigo antes, y así evitaremos dar vueltas por toda la casa para encontrarlas y asustar con ello al perro.

Es conveniente sacarlo para que haga sus necesidades antes de marcharnos, pero no justo antes. Hay que evitar que esto se transforme en «signo» de partida. Esta salida es inútil para los cachorros que no pueden contenerse durante largo tiempo.

Conviene también evitar dejar algún objeto frágil o peligroso al alcance del cachorro.

La soledad existe

Nuestro cachorro se dará cuenta antes o después de que nos hemos ido. Así pues, está solo y la situación se complica.

PARA PASAR EL TIEMPO

Para empezar, debemos dejarlo solo durante espacios de tiempo cortos para que comprenda que volvemos siempre. Esto es muy importante para los cachorros que han vivido en refugios y que a menudo han sido abandonados. Quizá no distingan entre cinco minutos y media hora, pero tienen una cierta noción del tiempo que pasa. La primera vez, podemos dejarlo solo durante unas dos horas.

Puede ser útil las primeras veces dejarle la televisión o la radio encendidas. Estas estimulaciones visuales y sonoras permiten atenuar a veces el sentimiento de desamparo total debido al silencio. Pero existe un punto de controversia acerca de esta técnica. Algunos especialistas piensan, por el contrario, que el hecho de poner la radio muestra al cachorro que nos vamos y provoca su ansiedad. Podemos enchufarla un poco antes de irnos (probemos y veamos cómo reacciona). También podemos dejarle huesos de cuero para que muerda y juguetes para que se entretenga. Algunos perros necesitan ser útiles para sentirse bien. El papel más fácil que le podemos dar es el de guardián. Podemos dejarle al cachorro un objeto (sin valor) que nos pertenezca para que lo vigile: un bolso, un jersey, etc.

EL ESPACIO

Tenemos que evitar encerrar al animal en una habitación que no es habitual para él, para limitar los destrozos. Es verdad que es muy tentador dejar al perro en el cuarto de baño, porque es muy difícil que consiga destruir el lavabo, pero esto será muy mal percibido por nuestro animal: considerará este «aislamiento» como un castigo del que ignora la causa. El sentimiento de injusticia también existe en ellos.

Tampoco es muy útil abrir las puertas o las ventanas del jardín o del balcón para que tenga más espacio. Los riesgos de accidentes son seguros. Además, el perro puede excitarse por el paso de la gente o de los animales del exterior y ladrar, mientras que estando en el interior no lo hubiera hecho.

Ya nos hemos ido. ¡Cuidado con la vuelta!

Nuestro regreso

La ventaja de las ausencias cortas es la esperanza de que los destrozos sean mínimos. No es siempre así, porque algunos cachorros son de una destreza y de una rapidez ejemplares en el arte de la destrucción.

LOS EVENTUALES DESTROZOS

Tenemos que evitar castigar al perro si se han cometido algunos destrozos. Es verdad que a veces es muy duro mantener la calma cuando nuestra mejor silla está completamente destrozada. El castigo nos calmará, pero no será eficaz para una próxima vez. En efecto, el perro lo asociará con nuestro retorno y no con sus disparates y, con cada retorno, se reproducirán las escenas de miedo: fugas, deposiciones, etc. (Ya hemos visto que el perro no puede entender el castigo en diferido.)

Lo único que debemos hacer es ignorar al perro. Debemos poner todo en orden cuando no esté presente. Obtendremos muy buenos resultados gracias a la educación positiva.

Si hay destrozos debemos ignorarlo durante una hora. Si no hay destrozos, lo felicitaremos efusivamente, pero después de respetar un tiempo de descanso. Dejaremos nuestras cosas y luego nos giraremos hacia él y lo felicitaremos. El momento de descanso permite no asociar la recompensa a nuestro retorno, sino a su buena conducta. Esto tenemos que hacerlo después de una ausencia corta para que relacione inmediatamente nuestras caricias con su buena conducta.

LOS SENTIMIENTOS

Estamos contentos de volver a verlo, y él también. Esto está muy bien, pero nuestro retorno no puede transformarse cada vez en un reencuentro. Debemos intentar contener nuestra emoción y acariciar a nuestro perro cuando esté más tranquilo. Cuando el aprendizaje de la soledad se haya acabado, podremos dar rienda suelta a nuestras emociones.

De lo contrario, el perro, esperando que volvamos y le hagamos fiestas, «se preparará». Se pondrá nervioso, cogerá un zapato, lo mordisqueará y así comienzan los desastres.

■ Caminar con correa

Este aprendizaje es esencial, en una ciudad, para la seguridad del perro y de los demás. También es muy útil en el campo, para evitar las peleas. Aunque no queramos llevar siempre a nuestro perro con la correa, debemos enseñarle de todos modos en un primer momento a caminar con ella. Porque, en efecto, si nunca le hemos obligado a ello, será incapaz de acostumbrarse.

Debemos recordar que la correa es obligatoria en numerosos locales públicos. Se trata de un gran problema para la vida del perro y del amo que el animal la rechace. Si más adelante queremos dejarlo suelto, tendremos que enseñarle la llamada.

La correa y el collar son herramientas muy importantes. Debemos escogerlas de forma correcta.

La elección del collar y de la correa

Podemos combinar evidentemente los tonos, pero existen criterios de elección más importantes.

EL COLLAR
Tendremos que cambiarlo cuando el perro sea adulto. No debemos comprar un collar inmenso por evitar comprar otro: nos encontraremos rápidamente con el collar solo al final de la correa, puesto que el cachorro habrá pasado la cabeza a través de él.

Los mejores collares para este tipo de aprendizaje son los collares llamados estranguladores, de cuero y de metal. No debemos asustarnos, porque no estrangulan al perro (pero no compre los que llevan púas). Permiten simplemente una buena conducción de la información del amo al perro a través de la correa. No debemos elegirlo demasiado pesado.

Las campanillas u otros accesorios musicales no son aconsejables porque pueden asustar al cachorro. Los arneses son útiles para los perros pequeños, pero no son ideales para este aprendizaje.

LA CORREA

Las correas que se enrollan no son muy útiles al comienzo. Permiten simplemente «soltar» a un perro que no obedece a la llamada, y permiten «dominar» a nuestro perro a través ella. Las correas de hierro son inatacables y comprenderemos la importancia de esta cualidad después de haber comprado nuestra quinta correa de cuero en quince días.

Debe tener un metro de longitud. No se aconsejan las correas muy cortas.

Correa, collar: papeles y costumbres

La correa asociada al collar permite transmitir información útil para el aprendizaje.

PAPEL DE LA CORREA

El amo dará pequeños tirones con la correa. No debe tener otro papel que este. No debemos pegar nunca a nuestro perro con ella. Debe ser una señal de paseo y de alegría para el perro. Debemos evitar atarlo en algún sitio durante demasiado tiempo (delante de un almacén, por ejemplo). Esto asociaría la correa con una «prisión».

El juego puede ser una técnica de aprendizaje, pero la correa en sí misma no es un juego. El perro no tiene que morderla ni tirar de ella. No debemos permitir ni animar al perro a que tenga este tipo de comportamiento. Tiene que «respetar» su correa.

Ya veremos más adelante que debemos ser siempre nosotros los que tomemos la iniciativa de la salida. Un perro que le lleva a su amo la correa es enternecedor pero a veces también «peligroso». Las relaciones de jerarquía se encuentran entonces equivocadas (véase «Los fracasos: causas y consecuencias», pág. 125).

Ejemplos de juegos de tira y afloja con la correa que desaconsejamos...

El perro no tiene que tirar de ella ni mordisquearla

PORTE DEL COLLAR

Primero tenemos que acostumbrar al cachorro a llevar el collar y luego la correa. Los paseos se transforman a menudo en una pesadilla cuando lo sacamos a la calle la primera vez: tira hacia el lado contrario e intenta quitarse el collar. En esos casos la gente siente pena del cachorro y no del amo que no sabe qué hacer.

Debemos suprimir cualquier idea negativa de la correa. No debemos tratar de colocársela a la fuerza acorralándolo contra la pared. Es un mal comienzo. Debemos transformar esto en un juego.

Intentaremos colocar el collar mientras nos divertimos con él. Vigilemos que no se haga daño. Debemos apretar lo suficiente para que no pueda pasar su mandíbula inferior o su pata dentro y lesionarse. Debemos dejarle el collar de forma permanente, así se acostumbrará más fácilmente y no lo asociará con el aprendizaje de la correa.

Al principio, podemos ponerle la correa igualmente en casa sin cogerla para banalizar esta herramienta.

Ahora ya tenemos todo en la mano: el cachorro, el collar y la correa. ¡Ya podemos salir!

¿Dónde enseñarle?

La elección del lugar es importante para no fracasar en este aprendizaje desde el principio. Podemos empezar muy bien en nuestro apartamento, como si se tratara de un juego. (Si tenemos niños, pueden encargarse ellos.) A veces el perro acepta mejor la autoridad de los niños cuando pueden asumirla.

El juego tiene la ventaja de no estresar al animal. Pero veremos que tiene que ser organizado.

Luego, ya podemos salir a la calle.

Debemos evitar, si podemos, salir desde el primer día por calles muy concurridas y con mucho movimiento.

Ya veremos cómo las estimulaciones visuales y sonoras del animal, desde muy joven, son fundamentales para su futuro equilibrio.

Pero no debemos acumular las dificultades ni asociar el aprendizaje a una estimulación desagradable. Los ruidos de la calle pueden darle miedo. También tiene que estar concentrado para seguir nuestras indicaciones. Los transeúntes, conmovidos por el cachorro, lo distraen a menudo llamándolo o acariciándolo. Además, no entienden que no apreciemos su actitud.

Las calles más tranquilas nos permiten evitar estas situaciones.

Luego probaremos con las calles más transitadas en hora punta para que el perro pueda salir sin angustia a cualquier hora del día.

La progresión en la intensidad de las estimulaciones (ruidos, transeúntes, etc.) tiene que ser lenta.

¿Cómo enseñarle?

Debemos mantener siempre la correa floja sobre el lomo del perro: no tiene que estar nunca tensa. Esto nos permitirá realizar pequeños tirones cuando queramos llevar al animal hacia nosotros. El perro tiene que caminar cerca de nuestra pierna, sin adelantarnos jamás.

Evitaremos que gire alrededor de nosotros y enrolle su correa, y que dé vueltas continuamente. Caminar con correa no es una «marcha forzada», pero exi-

De izquierda a derecha.
Buena posición: correa suelta sobre la espalda
Mala posición: correa mantenida demasiado corta
Mala posición: correa mantenida demasiado tensa

ge al principio una cierta disciplina. Es aconsejable hacerle caminar siempre por el mismo lado. Esto le permite saber dónde colocarse en relación a nosotros, y no ir sin parar de un lado para otro. Es necesario atraer su atención, porque seguramente se distraerá por todos los ruidos de la calle (aunque no sean muchos). Debemos hablarle y añadir a su nombre la orden «¡Al paso!». Si no respeta esta posición y nos sobrepasa, debemos decir: «¡No!», y tirar suavemente de la correa para hacerle volver a su lugar.

Si obedece, hay que felicitarlo. Si se queda rezagado, daremos un pequeño tirón con la correa para acercarlo hasta nosotros. Pero no debemos tirar continuamente. Debemos hacer esto durante los «paseos para hacer pipí», para no transformar este aprendizaje en un ejercicio. Tiene que hacerse de forma natural.

También podemos darnos una palmada en el muslo para traer al perro a nuestro lado en el momento de salir. No debemos ceder nunca y acabar, por ejemplo, con el cachorro en los brazos. Si es necesario, podemos arrastrarlo con cuidado. Al principio, es mejor no alejarse demasiado de la casa, porque esto nos permitirá volver fácilmente en caso de gran fatiga.

Saldremos así dos o tres veces al día, presentando siempre este paseo como un juego al cachorro.

También podemos dejar suelto a nuestro perro, pero al mismo tiempo debemos enseñarle «la llamada».

La llamada

Es una pena que algunos propietarios no suelten a su perro debido a la ansiedad que les provoca la idea de no poder recuperarlo y volverlo a atar al terminar su paseo. Enseñarle la llamada permite evitar esta situación. Pero parece ser que lo más difícil es hacer que el perro entienda esto.

¿Cómo decirle que tiene que volver? Se trata de una orden llena de ambigüedades.

Los malentendidos de la llamada

Es muy importante felicitar a nuestro perro cuando vuelva, aunque haga «un buen rato» que lo esperamos. No es aconsejable castigarlo, aunque sea una actitud tentadora.

Lo llamamos, le gritamos y nos ponemos nerviosos a menudo. Es verdad que no hay nada que ponga más nervioso que un perro que no vuelve al cabo de dos horas de carreras desenfrenadas por el parque. Podemos pensar que está cansado (¡nosotros lo estamos!) y vemos natural que regrese, pero él no. Cuando el perro se decide finalmente a acercarse a su amo, este le propina un buen guantazo. Tiene la intención de hacer comprender al animal que no ha vuelto bastante rápido y que la próxima vez tiene que volver en cuanto se le llame.

¿Pero qué entiende el perro?: «He vuelto y me ha pegado: la próxima vez no volveré.» El perro ha asociado en efecto el castigo con su vuelta, y no con el hecho de que no ha vuelto enseguida. El resultado es que el animal responde cada vez menos a la llamada. El amo lo mantendrá con la correa casi de forma permanente. Todo el drama se centra en este malentendido.

SABER DECIRLO

La orden de la llamada es a menudo totalmente incomprendida por el perro. Peor: puede entenderla a la inversa.

Nos explicaremos. Para llamar a su perro, la mayoría de los amos gritan (¡o berrean!) simplemente el nombre del perro. Este, muy atento, escucha, observa desde lejos a su amo y espera para recibir una orden precisa como: «¡Rex, sentado!», pero no oye nada. Para el propietario, el hecho de gritar sólo el nombre del perro le parece suficiente para hacer que vuelva. Pero el animal espera el resto. Así pues, no hace nada cuando en realidad estaba dispuesto a escucharnos. ¡Nos ponemos nerviosos! ¿Cómo arreglarlo?

DAR UNA ORDEN PRECISA

Primero tenemos que asegurarnos de que el perro nos ve. No debemos realizar grandes gestos en el vacío. Si vemos que está con otros perros, es inútil llamarlo. Debemos acercarnos para llamar su atención y acompañar siempre su nombre de otra orden: «¡Rex, ven!» o «¡Rex, aquí!». Utilizaremos siempre el mismo término.

Por otra parte, ya hemos visto que el perro es muy sensible al lenguaje gestual y que, cuando este lenguaje está en contradicción con las palabras, «sólo escucha» los gestos.

Cuando el perro, al llamarlo únicamente por su nombre, no vuelve, los amos realizan grandes gestos de nerviosismo. El perro entiende entonces que su amo no está contento y no se atreve a volver.

¿Dónde enseñarle?

Podemos empezar, como para enseñarle a caminar con la correa, con una prueba en casa. Podemos dar una palmada mientras le llamamos por su nombre, y a continuación, ordenarle: «¡Ven!».

Aprovecharemos las situaciones naturales: por ejemplo, nos encontramos en la cocina, él está en el pasillo y le llamamos. Si viene, lo felicitaremos.

Lo enviamos a su cesta durante diez minutos antes de las comidas y luego le hacemos volver para comer. No se trata realmente de «la llamada», pero es un cebo muy eficaz. Repetiremos esto a menudo durante el día en forma de juego. Luego debemos salir al exterior. El primer día de aprendizaje es bastante delicado, porque el amo todavía no está seguro de que el perro vaya a responder a la llamada y debemos arriesgarnos a soltarlo. Es necesario actuar de forma progresiva.

Escogeremos para la primera vez un espacio grande pero cerrado, como un gran jardín privado. De esta forma, podremos dejar correr al perro libremente y luego pedirle que vuelva cuando esté lejos. No hay riesgo de que se pierda. La segunda etapa es un espacio no cerrado, pero en el que podamos ver al perro de forma permanente y desde cualquier sitio: un prado sin árboles, por ejemplo, evitando los bordes de las carreteras. La tercera etapa es un bosque en el que el perro puede desaparecer detrás de los árboles y volver cuando le llamemos. ¡El aprendizaje será entonces perfecto!

¿Cómo enseñarle?

Dejaremos correr al perro en libertad por el espacio escogido y luego nos agacharemos dando una palmada para invitarle al juego. Pronunciaremos al mismo tiempo su nombre seguido de «¡Ven!». Separaremos los brazos para acogerlo. Intentaremos hacer esto cuando el perro todavía no está muy lejos.

Lo felicitaremos efusivamente a su «vuelta».

Repetiremos la misma orden cuando el perro se encuentre más lejos, y aumentaremos de forma progresiva la distancia de llamada entre él y nosotros.

Si a pesar de esto no vuelve, nos alejaremos en sentido inverso, simulando que no lo vemos, desinteresándonos de él. El animal vendrá para alcanzarnos, creyendo que nos vamos de forma definitiva.

Tenemos que evitar correr detrás del perro intentando alcanzarlo. Se lo tomará como un juego y se escapará con gran placer.

Si llamamos a nuestro perro justo antes de irnos y le colocamos la correa enseguida se sentirá decepcionado. Asociará su vuelta con la partida inmediata, y quizás otro día no nos escuche.

No debemos colocarle la correa enseguida, para que no se sienta castigado por haber vuelto. Nos pasearemos todavía un rato y le pediremos que camine a nuestro lado. Le colocaremos la correa y seguiremos paseando un poco más. Llegamos ahora a la situación más delicada: el perro está muy lejos, con otros perros, y nosotros hablamos con algunos amigos. Son las situaciones extremas. Un perro bien educado tiene que volver a pesar de estas condiciones. Al principio, intentaremos llamarlo a menudo y lo felicitaremos a su vuelta.

Debemos provocar las situaciones delicadas.

■ «¡Sentado!», «¡De pie!», «¡Quieto!», «¡Tumbado!»

Para estas cuatro órdenes podemos educar a un perro utilizando únicamente sus actitudes espontáneas. Este aprendizaje es bastante fácil y puede hacerse bajo forma de juego. Es bastante raro ver perros que no responden a la orden de «¡Sentado!» a menos que lo hagan adrede. Además, el perro parece muy receptivo a estos términos desde los dos meses. Los niños pueden «tomar en mano» este aprendizaje.

«¡Sentado!»

Es muy importante que el perro se siente nada más recibir la orden para que pueda salir en sociedad con su amo. Si vamos a la peluquería con él, por ejemplo, sabrá ser paciente igual que en un almacén.

La posición de sentado es bastante natural en un cachorro, aunque no sea siempre perfecta. Normalmente se sienta sobre una sola nalga y tiene un aire algo inclinado.

El aprendizaje de esta orden puede hacerse de dos formas: de forma pasiva, aprovechando el momento en el que el cachorro se sienta por sí solo, y de forma activa, forzándolo a sentarse.

MÉTODO PASIVO

Cada vez que el perro se siente por propia iniciativa diremos: «¡Sentado!», y lo felicitaremos. Este método precisa mucha atención, y sobre todo sincronización. Tenemos que anticipar muy bien el momento en el que el perro se sentará, para emitir la orden durante el acto. De esta forma asociará rápidamente la palabra y la recompensa con esta posición.

Lo más sencillo para evitar tener que observar al perro durante todo el día es aprovechar los momentos de juego. Le lanzaremos una pelota y veremos que se sienta de forma natural para observarnos en el momento del lanzamiento. Aprovecharemos para decirle: «¡Sentado!», antes de lanzar la pelota.

MÉTODO ACTIVO

Consiste en provocar la posición de sentado en el perro, de distintas formas. No hay que presionar nunca sobre su grupa, ya

No debemos usar la fuerza para hacer que nuestro perro se siente ... sólo obtendríamos una posición antinatural

que así suele resistirse e intenta rebelarse. Percibirá esta orden como una violencia y el «Sentado» se convertirá en una sumisión. Ya no la buscará como algo natural. Tenemos que lograr que el animal se sienta obligado a sentarse sin ninguna violencia física.

Para enseñarle la posición de sentado, presentaremos una golosina delante del perro...
... pasaremos nuestra mano por encima de su morro: empieza a sentarse...
...le daremos la orden de «¡Sentado!» para que la memorice...
...y lo recompensaremos con la golosina

71

Percibiremos que, por una cuestión de equilibrio, un perro que levanta la cabeza y la coloca cada vez más hacia atrás está obligado a sentarse. Utilizaremos esto para este aprendizaje.

Cogeremos un pedazo de galleta y lo colocaremos bajo la nariz del perro. Levantará la cabeza para observar, y entonces alargaremos nuestro brazo hacia su grupa. Para poder observar el pedazo de galleta levantará la cabeza hacia atrás y, si pasamos nuestro brazo (siempre en dirección a la grupa) por encima de la cabeza, se sentará. No pensará en darse la vuelta. Todos los perros se sientan de forma instintiva ante este ejercicio. Únicamente nos queda

La etapa siguiente consiste en hacer que se siente con un simple gesto y ordenando «¡Sentado!»

decir: «¡Sentado!», en el momento preciso, y ofrecerle el pedazo de galleta. Estas sesiones se realizan como un juego.

La siguiente etapa es la de no ofrecer más dulces y hacer que se siente levantando el dedo y diciendo «¡Sentado!».

Luego, en la última fase de aprendizaje, el perro se sentará únicamente después de la orden verbal.

También podemos levantar la cabeza del perro con nuestra mano, tocar la babilla (articulación de la pata posterior) y decir: «¡Sentado!». Este método deja menos iniciativa al cachorro y puede parecerle más violento. Puede ser útil para los perros que tienden a saltar sobre la golosina en lugar de sentarse.

Ahora tenemos que levantarnos.

«¡De pie!»

Esta orden está estrechamente relacionada con la anterior, y su aprendizaje tiene que hacerse al mismo tiempo. En efecto, tenemos que aprovecharnos del hecho de que el perro, cuando ya se ha sentado, sólo tiene ganas de una cosa: de levantarse.

Cuando está sentado tenemos que decirle: «¡Quieto!», para que no se mueva. Luego, cuando se prepare para levantarse, diremos: «¡De pie!». Los primeros días tenemos que ser muy rápidos, porque el perro se sienta y se levanta enseguida. Tenemos que conseguir poco a poco que permanezca en la posición de sentado el mayor tiempo posible y que se levante únicamente cuando le digamos: «¡De pie!». Esto se obtendrá de forma natural después de algunas sesiones de juego y de recompensas y caricias.

Es verdad que esta orden tiene menos interés en la práctica que la primera. Si un amo se levanta para irse, el perro irá tras sus talones enseguida sin que nadie se lo pida. En cambio, es muy interesante que el perro comprenda bien el sentido de «¡Quieto!».

«¡Quieto!»

Este término es algo abstracto para el perro, porque no se corresponde con ningún cambio de posición en relación con «¡Sentado!».

Así pues, se trata de una palabra distinta para mantener una posición. La única forma de que el perro la comprenda es recompensarle cuando haya permanecido sentado un tiempo bastante largo. Esta duración depende de la impaciencia del perro. Lo importante, para nosotros, es notar que ha permanecido sentado cuando en realidad tenía ganas de levantarse. Se ha esforzado por mantener una posición, y esta es la razón por la que su amo lo felicita, aunque sólo haya durado unos segundos. Los signos de impaciencia del perro se manifiestan cuando intenta levantarse moviendo su tren posterior de derecha a izquierda.

En la primera etapa no se atreverá a hacerlo, y en la segunda ya no se moverá. Lo conseguiremos gracias a las recompensas.

«¡Tumbado!»

«¡Tumbado!» tiene una función parecida a «¡Sentado!». Somos nosotros los que tenemos que escoger una orden solamente o saber si queremos enseñarle estas dos nociones a nuestro perro.

También podemos utilizar aquí el método pasivo, pero esta posición es menos natural en el cachorro que la de sentarse. Además, cuando el cachorro se tumba por sí solo, tiende más bien a dejarse caer o a revolcarse que a tumbarse correctamente. Si queremos que esta orden pueda utilizarse en sociedad, el perro

Para enseñarle la posición de tumbado, presentaremos una golosina delante del perro...

...bajaremos nuestra mano hacia el suelo: el perro empieza a tumbarse...

...alejaremos nuestra mano y la dejaremos en el suelo: se tumba...

...se merece la golosina

tiene que tumbarse «de forma útil», es decir, ocupando un espacio mínimo, y no totalmente estirado, entorpeciendo el paso.

¿Cómo conseguirlo?

También en este caso utilizaremos una golosina. La colocaremos delante de las patas del perro, en el suelo. El perro bajará la cabeza para olerla. Alejaremos a continuación la mano y la dejaremos otra vez en el suelo. El perro seguirá con su nariz la golosina y adoptará una posición tumbada. Entonces diremos la palabra «¡Tumbado!», en el momento en que adopta la posición.

El doble sentido

Lo ideal es hacer que el perro entienda que esta posición se corresponde también con un lugar de la casa: su cesto. Así pues, lo

Posición tumbada obtenida con el dedo

Posición tumbada ideal

mejor es realizar este ejercicio al lado del lugar donde duerme. Podemos hacer el siguiente juego: le lanzamos una pelota, tiene que traérnosla y volver a continuación a su cesto, siguiendo la orden de «¡Tumbado!», para que se la volvamos a lanzar.

El punto de partida es siempre el cesto después de decir: «¡Tumbado!». Al cabo de varias sesiones habrá comprendido la regla del juego. A partir de entonces, se tumbará después de la orden.

Tenemos que evitar utilizar esta orden para castigarlo y enviarlo a su cesta, al menos al principio. Tampoco se debe utilizar sólo para reñirlo, ya que entonces «¡Tumbado!» sólo tendrá el significado de desaparecer rápidamente después de hacer algún disparate.

Cuando se utiliza el término con dos sentidos (para una posición y para un castigo) el perro siempre tiene miedo cuando oye esta palabra, y se tumba allí donde se encuentra en una actitud de sumisión.

No es lo que buscamos en una educación familiar.

Las comidas

Las reglas de las comidas tienen que ser muy estrictas si queremos evitar que el perro coloque sus patas sobre la mesa para acabarse los platos, o que nos empuje el brazo durante toda la comida. Se trata de actitudes que quizá nosotros soportemos de nuestro perro, pero que no podemos permitir que tengan que ser soportadas por nuestros invitados.

El cachorro descubre enseguida la importancia de las comidas. Desde sus primeras horas de vida se pelea con sus hermanos y hermanas para mamar. En la naturaleza o en las jaurías de perros son los dominantes los que comen primero.

Los dominados observan cómo comen los otros. Es muy importante que el amo tenga una posición dominante. Ya veremos que el cachorro tiene que comer después de sus amos y no reclamar nada.

Las situaciones en las que la jerarquía amo-animal no se respeta refuerzan la dominación del perro y, como esto se reproduce todos los días, el perro se siente cada vez más seguro de sí mismo y más fuerte. Esta posición crea numerosos problemas relacionales con el amo y perturba la educación.

Las reglas de la alimentación son fundamentales para el aprendizaje de la jerarquía.

Sus cubiertos, su mesa

Desde la llegada del cachorro tenemos que atribuirle una escudilla propia. Si tenemos dos animales necesitaremos dos escudillas. Tenemos que evitar coger uno de nuestros platos: es mejor comprar una escudilla para perro.

Después de cada comida la lavaremos y la guardaremos. El cachorro no tiene que jugar con ella.

La mesa del perro es el suelo. El cachorro tiene que comer desde un principio en un espacio reservado para él. Hay que evitar la entrada de la cocina, porque mientras el perro come nadie tendrá acceso a la nevera, y en este caso ya no podremos hablar de una posición de sometido.

Tampoco es necesario que le hagamos comer en el sótano. Un pequeño rincón tranquilo de la cocina será perfecto. Tiene que comer después de nosotros y solo.

El segundo servicio

El cachorro debe asistir a las comidas de su amo y de la familia, pero tiene que comer después de nosotros. Ya hemos visto que el equilibrio de las relaciones amo-perro dependen de ello.

El perro no debe pedir comida, y si lo hace no podemos ceder. Si el cachorro reclama tenemos que ignorarlo o enviarlo a su cesta.

Si le ofrecemos un pequeño pedazo de algo porque nos da pena, estamos modificando la posición jerárquica del cachorro y lo transformamos en dominante. Evidentemente, todos los miembros de la familia deben tener la misma actitud. El que ceda no tendrá ninguna autoridad sobre el perro. Debemos tener cuidado con los niños: el perro tiene que obedecerlos para evitar los accidentes cuando estén solos con el animal.

Cuando hayamos terminado de comer, pondremos la escudilla al perro. Actuamos entonces como los dominantes: nos vamos y dejamos que el perro coma solo.

¿Intocable?

No, ni el perro ni la escudilla tienen que ser intocables durante las comidas. Demasiados amos consideran normal que el perro gruña cuando tocamos su escudilla o su comida. Se trata de una actitud de dominación por parte del perro. Hemos de poder retirarle un hueso de la boca. Esto nos permite afirmarnos como amos y también permite retirarle alguna cosa peligrosa de la boca.

Además, los niños pequeños se aprovechan a menudo del hecho que están comiendo y no se mueven para ir a acariciarlos. No podemos permitir que el perro se enfade.

Somos nosotros los que tenemos que provocar estas situaciones desde que son pequeños quitándole la escudilla adrede y luego devolviéndosela.

No se trata de sadismo: es fundamental para la obediencia del perro. Si gruñe no debemos devolverle su comida, debemos esperar a que se calme para dársela de nuevo.

¿Qué menú tenemos hoy?

El menú

¡Sólo hay un menú, y siempre el mismo!

Una de las primeras reglas es darle comida para perro.

Es decir, que tenemos que evitar darle los restos de nuestra mesa.

Si decidimos adoptar un régimen alimentario en particular (comida en lata, croquetas o alimentación tradicional), no debemos cambiar.

Algunos amos piensan que las latas sientan mal a su perro. Esto se debe normalmente al hecho de que el perro come normalmente carne y pasta y, puesto que su sistema digestivo no está acostumbrado a las latas, se pone enfermo.

Si cambiamos de régimen (durante las vacaciones, por ejemplo) tenemos que preverlo y hacerlo durante unos diez días (introduciremos poco a poco, en la ración habitual, el nuevo ingrediente).

Cuando decidimos dar una comida al perro, si no la quiere no debemos cambiar nada. O está enfermo, y lo llevamos al veterinario para que lo cure, o es caprichoso, y no podemos dejar que diga la última palabra. Los amos esperan, al modificar la comida, encontrar lo que le gusta al perro. Pero esto sólo durará tres días, luego el perro se cansará y pedirá de nuevo otra cosa. No podemos ceder.

Un perro puede comer toda la vida el mismo menú. La mayoría de las veces es el amo el que se cansa por él.

Tiempo limitado

Debemos dejar la escudilla durante diez o quince minutos y luego retirarla, aunque no haya acabado. Se la volveremos a dar en la siguiente comida. Un perro no tiene que comer durante todo el día. De todos modos, comer a horas fijas es perfecto para el tránsito intestinal. Esto también es válido para nosotros mismos.

Ya hemos visto que la limpieza depende también de la regularidad de las comidas. El perro entenderá rápidamente que tiene que comer sin prisas pero dentro de un plazo limitado de tiempo.

El final de las comidas

El perro no necesita nada al final de su comida, y menos todavía el azúcar de nuestro café. Su salud depende del respeto de estas reglas. No tiene que comer nada entre las comidas, excepto las golosinas de recompensa. Si podemos reemplazarlas, de vez en cuando, por caricias, será todavía mejor.

La sexualidad

No vamos a decir que se trata para los amos de un tema tabú, pero todavía quedan algunas reservas para hablar de ello libremente. No existe realmente un aprendizaje de la sexualidad. Sólo proporcionaremos algunas reglas que se tienen que respetar, tanto por parte del amo como por parte del animal.

Son libres, pero...

Son libres, es verdad, pero existen límites que simplemente se imponen para la vida en sociedad de nuestro perro. Veremos cómo es normal que tenga ciertas necesidades sexuales, pero que también es normal que las reprimamos.

No debemos «ponernos en el lugar del perro» y sentir pena por él. Es cierto que un animal doméstico sometido al ritmo de vida de su amo es menos libre sexualmente que un animal salvaje. Pero es necesario que nuestro perro sea sociable y esto impone algunas reglas de conducta.

Así pues, algunos propietarios tienen la impresión de ser castradores al reprimir a su perro. Es corriente escucharles decir:

«Es normal que viva su vida». Pero cuando esto significa frotarse contra las piernas de todos los transeúntes es inaceptable. Algunas reglas se tienen que respetar, y no impiden para nada a nuestro perro vivir feliz.

La pubertad de los perros adultos se sitúa entre los diez y los doce meses, según las razas; los más retrasados son los más grandes como el dogo alemán, ya que su crecimiento es más largo. En efecto, la época de celo es el síntoma de la edad adulta y del final del crecimiento. Por esta razón no debemos castrar nunca un animal demasiado pronto. Es mejor esperar al primer celo.

Pero pueden aparecer manifestaciones sexuales un poco antes, hacia los cinco o seis meses. Es necesario estar atento desde el principio de la educación.

Las manifestaciones sexuales

Pueden existir durante los periodos de calor y fuera de ellos.

Durante la época de celo

Las hembras están en celo dos veces al año, por lo que el ciclo es de seis meses, aunque existen variaciones de uno a dos meses.

El celo dura tres semanas, durante las cuales la perra sangra y sufre cambios en su comportamiento.

La hembra no es muy activa. Son sobre todo los machos los que vienen a verla y, durante este periodo, ella acepta su contacto, al igual que el apareamiento (algo que rechaza cuando no está en celo).

Los machos no tienen periodos muy bien definidos. Se ponen en celo cuando huelen a una hembra que está en celo. Esta es la razón por la que todos los perros machos de un edificio se vuelven «locos» en cuanto una hembra está en celo cerca de ellos. Olfatean por todas partes, y se muestran muy excitados.

Fuera de la época de celo

Los perros machos tienden a frotarse contra las piernas. Se trata de hecho de un simulacro de apareamiento. También pueden hacerlo encima de los cojines.

El macho puede lamerse los órganos genitales. La hembra ejerce a veces frotamientos de la vulva, pero las manifestaciones en la hembra son menos frecuentes que en el macho.

Algunos perros intentan aparearse con otras especies. Se suben encima del gato, por ejemplo. Estas manifestaciones se dan a menudo durante el juego.

El cachorro se coloca sobre la espalda buscando caricias. Debemos estar muy atentos para no provocar esta demanda y no responder a ella sin darnos cuenta.

Su educación sexual

Es muy importante saber que todas las manifestaciones sexuales tienen para el perro el objetivo de poner a prueba la autoridad del amo y encontrar una posición de dominación. (Recordemos que en la naturaleza únicamente los dominantes tienen acceso a las hembras.)

Como durante las comidas, es importante no ceder para mantener la jerarquía correcta entre el animal y el hombre. Además, es muy desagradable para los invitados o para las personas desconocidas sufrir los «asaltos» de un perro mal educado y ver al amo indiferente.

Si una manifestación «indeseable» (como el frotamiento sobre las piernas) se produce, ordenaremos: «¡Basta!» al cachorro, lo empujaremos y luego le diremos «¡Sentado!». Si insiste, le enviaremos secamente a su cesta. Podemos cogerlo por la piel del cuello y meterlo dentro por la fuerza.

Es interesante remarcar que, durante la época de celo, las hembras buscan las caricias del amo como hombre. Los perros machos hacen lo mismo con las mujeres. Sea cual sea el caso, tenemos que rechazarlos y marcar las distancias durante esta época. Evitaremos acariciarlos durante un largo rato, por ejemplo.

También es inaceptable que un perro gruña cuando su amo manifiesta ternura hacia su mujer. Esto hace sonreír a menudo a los amos, que lo encuentran enternecedor. Se trata en ese momento de una señal de dominación, y no de ternura. El perro no debe reglamentar nuestra vida. Ni los amos ni su entorno deben aceptar ningún comportamiento sexual en su presencia. Si queremos aparear nuestro perro o perra, no debemos asistir al acto.

La educación sexual del perro se realiza a base de prohibiciones, es verdad, pero estas reglas no tienen que ser culpabilizadoras para el amo.

El juego

El juego es muy importante en la educación de un cachorro. Permite un aprendizaje de ciertas órdenes de forma menos estricta, y afianza las relaciones jerárquicas entre el perro, el amo y la familia. Existe una tendencia natural al juego en los animales jóvenes, pero estos juegos tienen que estar sujetos a normas.

Las reglas del juego

En una camada, los cachorros se buscan sin cesar y se mordisquean. Esto les permite desahogarse, pero están muy vigilados por la madre, que no acepta los rechazos y la agresividad entre ellos. De esta manera, también deben comprender enseguida que sus juegos, sin estar severamente reglamentados, se encontrarán con trabas impuestas por las reglas sociales humanas.

Es fácil reconocer un perro que tiene ganas de jugar: dobla sus patas anteriores, alza la grupa y ladra mientras da saltitos. Adoptan esta actitud para jugar con el hombre y también para jugar con sus congéneres. Más adelante adoptan posiciones de sumisión o de dominación.

Si nadie responde, el perro nos traerá un juguete. ¡Está clarísimo! La posición sentada o agachada de una persona es interpretada por el perro como una invitación al juego. Así pues, no debemos sorprendernos si vemos a un animal que nos coloca las dos patas anteriores sobre las rodillas o tira de nosotros cuando estamos agachados. Es la razón por la cual las órdenes tienen que darse siempre en posición de pie: de esta forma se diferencian del juego.

El juego, como ya veremos, no tiene que transformarse jamás en pelea, incluso entre perros. La frontera tiene que estar muy clara, pero no siempre lo está tanto en la cabeza del animal. Para evitar cualquier accidente, es fundamental escoger bien los juguetes, los juegos y los compañeros de juegos.

Nos toca a nosotros establecer las reglas.

Los juguetes

Los juguetes tienen que ser objetos que pertenezcan exclusivamente al perro. Tiene que poder disponer de ellos de forma permanente. No debemos guardarlos.

SUS PROPIOS JUGUETES
Tienen que ser imposibles de confundir con un objeto del amo. Cojamos el ejemplo de la vieja zapatilla. Muchos dueños de algún perro dicen: «Dejémosela, no pasa nada, yo ya no me la pongo». El perro se lanza entonces con gran placer sobre la susodicha zapatilla (vieja) y la mordisquea alegremente. Luego, una mañana, el amo descubre su par de zapatillas nuevas también devoradas por el perro.

El amo está fuera de sí. Pero, ¿es esto normal? Pues sí. Porque, ¿cómo puede el perro establecer la diferencia entre un par de zapatillas usadas y unas nuevas? La respuesta es muy simple: no puede hacerlo de ningún modo, no posee ninguna noción sobre lo viejo y lo nuevo. Sucede lo mismo con las viejas pelotas de tenis o con los viejos balones.

Así pues, no debemos darle nunca objetos que nos pertenezcan, juguetes de nuestros hijos ni objetos usuales.

LA SEGURIDAD
Tenemos que comprarle juguetes para perro, aunque en un principio esto pueda parecernos ridículo. Los juguetes de piel de búfalo son perfectos. Tienen la ventaja de que no «hacen ruido» y pueden ser comidos por el perro sin peligro para él. Además, desprenden un cierto olor que el perro reconoce. Si le compramos un juguete de tela para perro no debemos lavarlo nunca, porque el perro necesita reconocer su olor sobre los objetos que le pertenecen: juguetes, cestos, mantas.

También es importante velar por su seguridad: una pelota muy pequeña puede tragársela, cualquier objeto que se rompa puede quedar reducido a migas que pueden irritarle el estómago. Durante los primeros meses de vida, es muy frecuente tener que operar animales que se han tragado un objeto mientras jugaban. Estas operaciones son muy delicadas y por ello es mejor prevenirlas.

Los compañeros de juego

No se trata de dejar jugar a nuestro labrador únicamente con otros labradores: hay que conseguir cuanto antes que los compañeros de nuestro animal sean muy diversos, para que se haga sociable enseguida y poder evitar así futuros conflictos.

LOS OTROS PERROS

Nuestro animal tiene que encontrarse con otros perros en espacios grandes. Para ello, tenemos que intentar llevarlo a grandes parques o bosques donde se admitan perros.

Tenemos que vigilar bien el desarrollo del juego, pero sobre todo debemos desatar a nuestro perro: es muy peligroso hacer jugar a varios perros con las correas puestas, ya que son mucho más agresivos que cuando están sueltos. Los que están sueltos establecen enseguida relaciones de fuerza y rápidamente van a dibujarse dominantes y dominados.

La correa trasmite al perro el miedo del amo frente a una eventual pelea, y es la mejor forma de provocarla. Si pensamos que nuestro perro no responde suficientemente bien a la llamada, aplazaremos las sesiones de juegos algunas semanas y no lo dejaremos suelto todavía.

LAS PERSONAS

Los juegos constituyen la ocasión para el cachorro de «poner a prueba» desde muy temprano al amo y a las personas de la familia. La «mano» tiene que estar siempre en el campo de la persona que juega con el perro. El control no debe dejarse nunca al animal. La sesión tiene que poderse interrumpir en cualquier momento.

En este caso concreto, los niños también se tienen que educar. Tienen que respetar las reglas y evitar ciertos juegos.

También tenemos que enseñarles a permanecer tranquilos durante el juego y, sobre todo, a no gritar para no provocar manifestaciones de miedo o de agresividad en el cachorro.

¿Cómo jugar y a qué jugar?

Los juegos naturales entre cachorros se basan a menudo en las relaciones de fuerza. Los límites desaparecen rápidamente, pero los perros no pueden permitirse esto con las personas.

JUEGOS PROHIBIDOS

Algunos juegos con las personas tienen que evitarse por completo. Todos los tirones en jerseys, trapos de cocina, correas o cualquier otro objeto tienen que estar prohibidos. No hacen más que poner nervioso al animal y alentar las manifestaciones de agresividad y los gruñidos. El cachorro pondrá toda su energía para ganarnos la partida, intentando arrancarnos el objeto de las manos. Estos comportamientos, que parecen anodinos en un cachorro, pueden volverse muy peligrosos al llegar a la edad adulta. Los mordisqueos en las manos también tienen que prohibirse. «Me muerde constantemente, le están saliendo los dientes» es la excusa que dan los amos sobre el comportamiento de sus perros. Si le duele la boca tiene que morder su juguete de piel y no nuestras manos. Estas reglas son fundamentales cuando el perro juega con niños. Los mordiscos, aunque sean suaves, pueden llegar a hacer daño. Si el cachorro empieza a gruñir durante una sesión de juego o no se somete a las reglas establecidas, tenemos que detener inmediatamente el juego e ignorar al perro. Si esto no es suficiente, tenemos que zarandearlo por la piel del cuello y enviarlo a su cesta.

¿A QUÉ JUGAR?

En casa, las sesiones de juegos no tienen que ser «inocentes». Tienen que reforzar la dominación del amo. Podemos jugar muy pronto a dar la vuelta al animal sobre la espalda, a sacarle su juguete de la boca (sin estirar fuerte). En el momento en que el cachorro parezca excitado o que exprese actitudes dominantes, interrumpiremos la sesión.

Fuera, el perro tiende a jugar solo o a buscar a sus congéneres. Lanzarle un palo es uno de los posibles juegos, pero tenemos que conseguir que nos lo devuelva sin tener que tirar de él.

■ ¿Hasta dónde hemos llegado?

En estos momentos ya deberíamos estar ante un perro ideal. Si no es así, no tenemos que preocuparnos. La educación es larga y progresiva. Cuanto más lentos vayamos, más posibilidades de éxito tenemos.

Hemos dado a nuestro cachorro los principios que tiene que respetar para llegar a ser un perro agradable con nosotros y con el entorno. La educación no ha acabado. Abordaremos ahora otros dos dominios: el espacio y los demás (personas y animales).

¿Cómo debe comportarse un perro en la casa? ¿Tiene que poder entrar en todas las habitaciones? ¿Puede dormir en nuestra cama? Y a casa de nuestros amigos, ¿podemos llevarlo? Cuando vienen invitados a casa, ¿tenemos que encerrar al perro o decir a la persona que tiene miedo de los perros que no venga? El aprendizaje del espacio en el interior de la casa y en el exterior, así como el aprendizaje de los «demás», constituyen una etapa muy importante.

En efecto, la educación de un perro no se limita a las relaciones entre él y su entorno ni a los muros de su casa. Tenemos que poder llevarlo por todas partes, a casa de quien queramos, y es necesario que también podamos recibir a quien queramos. El perro, lo repetimos, es uno más, y no tiene que representar un estorbo para la vida del amo y de su familia.

Abordaremos a continuación los problemas más difíciles de resolver: los fracasos en la educación que no tienen por qué ser, a la fuerza, globales. Pueden concretarse sobre una o varias órdenes que el perro rechaza o es incapaz de registrar. Entonces se trata de reeducar al perro. Los trastornos de comportamiento tienen que ser tratados a veces por veterinarios. Intentaremos conocer sobre todo los orígenes.

Tablas sobre los principios básicos de educación

Ficha n.º 1. La limpieza

Debemos hacer	*No debemos hacer*
• Pensar lo más rápidamente posible en que haga sus necesidades fuera	• Dedicar una gran superficie (toda la cocina) para sus necesidades
• Sacar al cachorro después de cada comida, descanso o sesión de juegos	• Sacar al perro al balcón o al jardín
• Darle sus comidas a horas fijas	• Castigarlo al cabo de un rato o meterle la nariz dentro
• Recompensar efusivamente	• Limpiar en su presencia
• Salir siempre al mismo lugar	
• Suprimir el agua durante la noche	

Ficha n.º 2. La soledad

Debemos hacer	*No debemos hacer*
• Acostumbrarlo lo más rápidamente posible a ausencias muy cortas	• Tomar unos días de vacaciones para ocuparnos del cachorro
• Avisar a los vecinos de los eventuales aullidos	• Dar señales evidentes de que nos vamos
• Ignorar al cachorro cuando nos vamos y cuando volvemos durante unos minutos	• Mimar al cachorro antes de irnos
• Sacar al cachorro para que haga sus necesidades antes de irnos	• Encerrar al perro en una habitación
• El perro tiene que ver que nos vamos	• Irnos a escondidas
	• Abrir las ventanas

Ficha n.º 3. Caminar con correa

Debemos hacer	*No debemos hacer*
• Elegir bien el material	• Hacerle daño al tirar de la correa
• Acostumbrarlo al collar y a la correa en casa	• Asustarlo con los coches
• Sacarlo a pasear por calles tranquilas	• Dejarlo caminar entre nuestras piernas
• Hacer caminar al perro siempre por el mismo lado	• Tensar la correa y tirar continuamente de ella
• Dejar la correa suelta para poder tirar de ella cuando el perro no escucha	

Ficha n.º 4. La llamada

Debemos hacer	*No debemos hacer*
• Asegurarnos de que nos ve cuando le decimos que vuelva	• Hacer grandes gestos de nerviosismo
• Darle la orden con precisión	• Limitarnos a llamarlo por su nombre
• Recompensarlo cuando vuelva	• Reñirlo por su retraso
• Ejercitarlo en casa a través de juegos	• Transformar esta orden en la «bestia negra» de la educación
• Continuar jugando antes de salir	• Irnos en cuanto le hayamos colocado la correa

Ficha n.º 5. «¡Sentado!», «¡De pie!», «¡Quieto!», «¡Tumbado!»

Debemos hacer	No debemos hacer
• Aprovechar la actitud natural del perro	• Forzarlo físicamente a tumbarse o a sentarse
• Enseñar a través del juego	• Transformar el aprendizaje en ejercicio
• Utilizar la técnica de la golosina	• Pensar que estas órdenes no sirven para nada
• Enseñar las cuatro órdenes al mismo tiempo	

Ficha n.º 6. Las comidas

Debemos hacer	No debemos hacer
• El cachorro debe tener su propia escudilla	• Colocar nuestros platos en el suelo para que los lama
• El perro ha de comer después de sus amos	• Darle pedacitos de comida mientras comemos
• Sacarle la escudilla al cabo de un cuarto de hora	• Darle más comida de la que necesita
• No modificar el menú	• Ceder en sus caprichos
• Calcular la ración que corresponde a su peso	• Mirar cómo come el perro
	• Aceptar que no se le pueda tocar la escudilla

Ficha n.º 7. La sexualidad

Debemos hacer	*No debemos hacer*
• Reprimir las ganas del perro, incluso si son naturales, cuando somos nosotros su objetivo	• Estar presentes en los apareamientos
• Rechazar al animal cuando está en celo	• Culpabilizarnos por reprimir la sexualidad del animal
• Vigilar la actitud del perro frente a los niños	

Ficha n.º 8. El juego

Debemos hacer	*No debemos hacer*
• Aprovechar las sesiones de juego para educar al cachorro	• Ir a buscarlo para jugar (debemos dejarlo venir solo)
• Comprarle un juguete para perro	• Darle objetos nuestros como juguetes
• Dejarlo jugar con otros perros	• Mantenerlo atado con la correa mientras juega
• Jugar con calma, deteniendo el juego en cuanto aparezcan síntomas de excitación	• Gritar durante el juego
• Reñir al cachorro ante el más mínimo signo de agresividad	• Aceptar los juegos de tirones y los pequeños mordiscos

El aprendizaje del territorio

- **Cómo seguir siendo el dueño de la casa**
- **Enseñarle a comportarse debidamente fuera y en casa de los demás**
- **Todos los perros pueden viajar...**

«Ven a mi casa, yo vivo en casa de mi perro.» El aprendizaje del territorio consiste en evitar este tipo de constatación.

La gestión del espacio es fundamental para el buen comportamiento social del perro. La jerarquía es una de las reglas de supervivencia de los cánidos salvajes; los tres polos jerárquicos son la alimentación, el espacio y la sexualidad. Los dominantes reinarán sobre el grupo e impondrán sus deseos de forma prioritaria. Pero algunos dominados intentarán sin cesar subir de grado y acceder a un lugar de dominado. Las peleas y los mordiscos son entonces frecuentes.

El perro también pondrá a prueba a sus amos y a su entorno, intentará imponerse. Se trata de un comportamiento normal. Pero nuestra respuesta tiene que ser clara: *¡nuestro perro vive en nuestra casa, no somos nosotros los que vivimos en la casa del perro!* Esto parece evidente, pero las situaciones que prueban lo contrario son bastante frecuentes.

El lugar del perro tiene que determinarse antes de su llegada, y nosotros tenemos que hacérselo respetar. Como con la comida, el respeto de estas reglas es esencial para las relaciones jerárquicas amo-perro y para el éxito de la educación. Si el perro no percibe ningún límite concerniente a su espacio habitual, aparecerán algunos trastornos de comportamiento que pueden ir desde el marcaje de todo el apartamento con la orina hasta la prohibición para entrar en nuestro propio apartamento.

Se trata de situaciones que pueden parecer cómicas al principio, pero que más tarde se hacen insufribles.

El aprendizaje del territorio no parece importante a los ojos de los amos. ¿Por qué el perro no va a poder dormir en la cama? Visto de forma puntual, es cierto que no es tan grave un perro sobre la cama.

> *Pero el aprendizaje del territorio es fundamental para fijar el lugar jerárquico del perro, lo que permite una buena educación y un equilibrio para todos.*

El aprendizaje del territorio es fundamental

La casa, ¡es nuestra casa!

«Vivo en casa de mis amos»: esto es de lo que el perro tiene que convencerse, y lo más rápidamente posible. Nosotros lo ayudaremos.

Los perros dividen, en la naturaleza, su territorio en varias zonas que van a intentar encontrar en casa de sus amos. Será necesario conjugar nuestra vida, nuestros dominios y las necesidades de nuestro perro.

El objetivo no es negarle la entrada en todas las habitaciones y aislarlo en el garaje, sino permanecer siendo siempre el amo de la situación y del entorno.

Nosotros damos la autorización de entrada. En las jaurías de perros algunos no se aceptan en todos los sitios. Los dominantes hacen la ley. Recordemos que *el dominante somos nosotros,* en cualquier situación.

Así pues, el perro divide su territorio en tres áreas: reposo, comidas y limpieza.

El área de reposo: su habitación

Es imperativo decidir rápidamente, es decir, antes de la llegada del cachorro, cuál será su «lugar» en la casa. Nosotros instalaremos su caseta (una verdadera casa, un cesto o una manta).

EL LUGAR
Esta zona no tiene que ser el centro de la casa o del apartamento. Tenemos que evitar colocar su cesto en mitad de la entrada. Necesitamos poder circular por nuestra casa sin tener que saltar por encima del perro continuamente. Aunque parezca no tener importancia que un perro se eche a lo largo en medio del pasillo estorbando el paso, esta posición es una posición de dominación, puesto que cualquiera que desee pasar tiene que pedirle permiso al perro. Esto no es normal, sobre todo si el perro nos hace entender que no debemos molestarle porque está durmiendo.

De esta forma, nos encontramos con perros que ladran de forma agresiva en cuanto una persona entra en su casa. Algunos, incluso, prohíben el acceso a la cocina cuando están comiendo. Se trata de situaciones más peligrosas que divertidas. Algunos propietarios se dan cuenta de ello demasiado tarde.

Tenemos que evitar, en la medida de lo posible, colocar al perro en la habitación de los amos o en la de los niños. Esta zona es el área de reposo del amo. El perro no puede apropiarse de ella: se trataría de un signo de sumisión del dueño. En efecto, en la naturaleza, nadie puede entrar en el área de reposo de los dominantes. El perro tiene que entrar en nuestra habitación si nosotros le invitamos. De lo contrario, tiene que esperarnos en la puerta, algo que para él no es nada humillante.

Lo más sencillo es fijar el «lugar» del perro en un rincón de la entrada donde no moleste o en el fondo del pasillo. Si escogemos el comedor, tenemos que buscar un pequeño espacio anodino.

¿Cómo «arreglarlo?

LA DISPOSICIÓN

Este rincón tiene que convertirse en uno de los más cómodos. Cuando vayamos a buscar al cachorro, en la perrera o en casa de unos particulares, tenemos que pedir un objeto o un pedazo de tela que sea suyo. Lo colocaremos en su cesto: su propio olor o el de su madre lo tranquilizarán. No es necesario gastarse mucho dinero en cestos preciosos que rápidamente el cachorro mordisqueará.

Una manta o un cojín grande son suficientes. Pero, aunque se trate de su habitación, no tiene derecho a romperlo todo. Tiene que respetar el mobiliario. Colocaremos también sus juguetes.

REGLAS ESTRICTAS

Tanto él como nosotros tenemos que respetar algunas normas.

Hay que exigir que el animal duerma en este lugar desde el principio. Si cedemos la primera noche, ya no podremos arreglarlo. Es evidente que tendremos que soportar algunos gemidos al comienzo, pero tenemos que dejar que lo haga.

Además, si no marcamos la diferencia enseguida entre nuestra área de reposo y la del perro, aparecerán conflictos relacionales.

No debemos aceptar que venga ni a nuestra habitación ni a nuestra cama. Aunque conozcamos a gente que lo hace y que no tienen ningún problema, se trata casos excepcionales. Nosotros no vemos a todos los que lo hacen y tienen un montón de problemas.

El perro macho puede, al llegar a la pubertad por ejemplo, prohibir con gruñidos el acceso a la habitación del amo porque defiende a su dueña.

Por otra parte, también nosotros tenemos que doblegarnos a ciertas reglas.

Cuando el perro se encuentra en su rincón, tenemos que respetar su tranquilidad. En ese caso es normal que defienda su territorio. Si vamos a molestarle podemos provocar algunas reacciones de agresividad. No debemos empujarlo a tener ese tipo de comportamiento. Si deseamos darle una orden, tenemos que hacerle salir antes (con la voz) del cesto.

Pero cuidado: no se trata tampoco de un territorio diplomático; en caso de una falta del perro, si se refugia en su cesto, podemos sacarlo de él. De lo contrario, él comprenderá enseguida el principio de «la inmunidad territorial».

Veamos ahora qué ocurre con la cocina y el lavabo.

El área de las comidas y el lavabo

Ya hemos hablado de este tema en los capítulos sobre la limpieza y las comidas. Explicaremos aquí los principios básicos de delimitación de estas dos zonas.

LAS COMIDAS
Tienen que tomarlas después de nosotros en un lugar «apartado» de la cocina. Recordemos que no se trata de un capricho, sino de un principio esencial para mantener las relaciones jerárquicas necesarias para la educación.

EL LAVABO
El problema es muy puntual, porque se traslada fuera muy rápidamente. Al comienzo, cuando todavía no podemos aplicar esto, no debemos colocar ni periódicos ni alfombras al lado del área

de las comidas. Tenemos que lavar la «cesta» (cuando el perro no esté presente), porque el olor de orina lo incitará a hacer de nuevo sus necesidades en ella.

Las otras habitaciones

Ahora ya hemos delimitado las zonas en las que el perro está en su casa. Todavía tenemos que establecer las reglas para el resto del apartamento en el que, recordemos, vivimos *nosotros*.

No es una prueba de falta de amor hacia nuestro animal prohibirle tumbarse sobre el sofá. Nosotros somos los que tenemos que decidir claramente, antes de la llegada del cachorro y en familia, las zonas prohibidas. Esta precaución permite evitar las fuentes de problemas, no con el perro, sino con el entorno.

Si el perro nos sigue a una habitación prohibida, tenemos que llevarlo suavemente hasta la entrada de la habitación y decirle al mismo tiempo «¡Quieto!». (Puede tratarse de un ejercicio unido al aprendizaje de esta orden.)

Si obedece lo felicitaremos. Es fundamental que todos (niños, pareja, abuelos...) le prohíban los mismos lugares. Si no se queda quieto, lo enviaremos a tumbarse en su cesto.

Es muy importante que el perro no marque con su olor objetos nuestros: se trata de un signo de dominante. Esta es la razón por la que no debe tumbarse en el sofá o en los sillones.

Entradas y salidas

No es el perro quien tiene que decir si alguien puede entrar en la casa o no. Nosotros lo decidimos, a menos que deseemos tener un buen perro guardián. En ese caso, tenemos que educarlo primero y luego domesticarlo. Pero la domesticación no es el objetivo de este libro.

LOS INVITADOS
Hablaremos de nuevo de este tema en el capítulo sobre «El aprendizaje de los demás» (pág. 111). Examinaremos ahora este

caso bajo el ángulo del territorio. Cuando alguien llama a nuestra puerta, no tiene que recibirlo el perro ni tampoco debe situarse de barrera.

Recordemos el ejemplo de los dominantes-dominados en estado salvaje. Solo el dominante puede autorizar o no la entrada a otro animal en un territorio. Por si acaso lo olvidamos frente a esta cachorrillo tan encantador, recordemos que el dominante somos nosotros. Conclusión: únicamente nosotros decidimos a quién dejamos entrar en nuestra casa.

Así pues, el animal tiene que encontrarse en su rincón cuando viene alguien y sólo puede salir cuando se lo permitimos. Puede acercarse a la puerta de forma eventual pero no debe manifestar ningún sentimiento, ni bueno ni malo.

El único lugar de la casa que puede reivindicar es su cesta.

PODER SALIR

No es nada raro oír a propietarios que explican con mucho orgullo que su perro no deja salir a nadie, ni siquiera a ellos. Es inadmisible aceptar que un animal juegue a establecer aduanas en nuestra propia casa.

En este caso también, el perro tiene que volver a su lugar y dejar que el amo acompañe a las personas que han entrado anteriormente.

Prohibido entrar

Nuestro animal tiene que respetar los lugares prohibidos, incluso durante nuestra ausencia. No tenemos que vernos obligados a cerrar todas las puertas de la casa antes de salir.

Es el aprendizaje más difícil. No podemos reñirlo al volver (ya hemos visto que los castigos en diferido son nefastos).

El perro no hará ningún desastre en nuestra presencia, y la única solución es ausentarse durante breves espacios de tiempo, por ejemplo para sacar la basura, y pedir al perro que permanezca en su cesta. Si cuando volvemos todavía no se ha movido, lo felicitaremos efusivamente. De lo contrario, lo ignoraremos y empezaremos de nuevo la experiencia.

La vigilancia

Aunque no deseamos un verdadero perro guardián, es evidente que hay quien quiere que su perro tenga un poco ese papel durante su ausencia. Sobre todo si ha comprado un perro de 40 kg. El problema no es el mismo con un caniche, evidentemente.

Tenemos que saber que si nuestro perro ha entendido bien sus límites, las zonas permitidas y las prohibidas, *su* territorio, entenderá perfectamente su papel de vigilante en nuestra ausencia.

No hace falta adiestrar a un perro para el ataque para que comprenda que tiene que vigilar la casa. Mucho perros ladran, en efecto, ante el más mínimo ruido sospechoso en ausencia de su amo, y no lo hacen cuando él está en casa.

Si el perro, gracias a un aprendizaje correcto, ha asimilado perfectamente la noción de territorio, comprenderá por sí solo que puede y que debe defender la casa de sus amos.

Ahora tenemos que salir de casa, y ¡que no haga lo que le plazca, porque no es su territorio!

▪ Fuera están los demás

Hemos conseguido educar con coraje y perseverancia a nuestro cachorro para que se comporte perfectamente en casa.

Ahora tenemos que conseguir que se comporte igualmente bien fuera y en casa de los demás, para evitar la habitual disculpa: «Nunca hace esto en casa.» Es posible, pero en estos momentos se ha portado mal fuera de casa y están «acusando» al amo (en este caso, a nosotros).

Se trata tanto de la educación del amo como de la del perro. Esta divisa se puede aplicar siempre y todavía más en este caso. Tenemos que convencernos de que la educación de nuestro animal tiene que ser útil también para los «demás».

La calle

Tenemos que aceptar la idea de que nuestro perro puede molestar a algunas personas. No debemos tomar por obligación la defensa de nuestro animal. Es verdad que algunos comentarios son a veces descorteses e injustificados. Intentemos, por educación, no provocarlos.

Debemos mantener a nuestro cachorro sujeto con la correa. Podremos soltarlo cuando sea más mayor y nos siga.

La correa nos permitirá corregir sus malos instintos, principalmente el de saltar sobre todo el mundo. Aunque sean los mismos transeúntes los que, al encontrarlo gracioso, provoquen esta reacción, tenemos que enseñarle a «sujetarse».

Cuando se precipite sobre alguien, tenemos que estirar de la correa y decirle: «¡Sentado!», presionando sobre el tren trasero si es necesario (aunque lo hayamos desaconsejado anteriormente, esta situación lo permite). Si quieren acariciarlo, él tiene que permanecer sentado. Los grandes lamidos pueden desagradar, y tenemos que comprenderlo.

Nuestro perro tiene que saber caminar correctamente por la calle sin pasar de un lado al otro sin cesar.

En la calle, lo principal es saber «hablar» al perro con la correa. Tenemos que hacerle comprender que este territorio no le pertenece. Tiene que permanecer «neutral» en cualquier situación. Esta regla es todavía más válida en los lugares públicos y privados.

El aprendizaje de la calle está muy relacionado con el de caminar con correa.

Los lugares públicos

Tienen que respetarse al igual que nuestra casa y que los lugares privados.

Saber leer
Todos sabemos que un cartel con un perro tachado

La alegría de los paseos por la ciudad

con cruz en aspa quiere decir: «Prohibido perros»; a veces nos lo encontramos escrito con todas las letras: «Prohibido perros, incluso con correa.» Es inútil hacer ver que no lo sabíamos.

El respeto de estas prohibiciones forma parte de los deberes del amo. Si el lugar está autorizado para el perro tenemos que hacerle respetar las prohibiciones parciales: césped, flores, arena....

Se entiende la importancia de la orden de llamada en este tipo de situaciones. No podemos salir con nuestro perro a lugares públicos si no respeta las órdenes de base.

LAS BICICLETAS

Los ciclistas se quejan de los perros que los persiguen. Este comportamiento es instintivo en el perro, y no debemos animarlo a ello. ¡Sólo si queremos que participe en carreras de galgos!

Si nos gusta practicar el ciclismo con nuestro perro, tenemos que enseñarle a correr a nuestro lado.

Esto no tiene ninguna dificultad si el amo está convencido de que es útil. Tenemos que hacerle caminar al lado de la bicicleta atado a la correa. Evidentemente, tenemos que ir lentos. Lo guiaremos con la correa, de la que tiraremos de vez en cuando para mantener su distancia con respecto a la bicicleta. Enseguida se acostumbrará a mantenerse siempre a la misma distancia.

LAS NECESIDADES

Aunque nos encontremos en un jardín, esto no es razón para que el perro haga sus necesidades en cualquier sitio. Nuestro perro tiene que entender que no debe marcar con su orina las estatuas y los bosquecillos.

Tenemos que llevarlo a las zonas reservadas (las encontramos en algunos parques) o a la periferia de las zonas de paseo.

Los lugares privados también están sujetos a reglas, y a menudo mucho más vigiladas.

Los lugares privados

También aquí es importante respetar las indicaciones que da el dueño del lugar, aunque a veces no nos parezcan muy justificadas.

LOS COMERCIOS DE ALIMENTACIÓN

Tenemos que atar a nuestro perro delante de la panadería. No debe orinar, ni desatarse, ni aullar. Hemos visto que el castigo tiene que evitarse en la medida de lo posible, pero en este caso podemos utilizarlo. Tenemos vigilado al perro, y podemos actuar «sobre el hecho». Si se pone a aullar podemos salir y reñirlo o pegarle con un periódico. Si se comporta como es debido, lo felicitaremos. Si su comportamiento deja mucho que desear, debemos dejarlo en casa durante algunos días y reeducarlo.

Tenemos que acostumbrarlos desde muy jóvenes a esperar delante de los comercios.

LAS TIENDAS

Como hemos dicho antes, no debemos pedir demasiado a nuestro animal. Tenemos que evitar ponerlo en situaciones que sean insuperables para él y que nos obliguen luego a reñirlo.

Por ejemplo, mantenerse correctamente en una tienda mientras sus amos escogen algo de ropa está fuera del alcance de algunos perros, a menos que estén muy cansados. E incluso en ese caso, se tumbarán a lo largo en medio del camino. Moraleja: mejor dejar al perro en casa durante las últimas compras de Navidad.

Continuemos nuestro paseo. Hemos salido de casa y la calle no ha presentado ninguna dificultad insuperable. Delante de la carnicería, nuestro perro ha despertado la admiración de todo el mundo.

Ya sólo nos queda pasar la prueba de la visita a casa de los amigos con el perro. Se presentarán varios casos: tienen perro, no tienen perro, no les gustan los perros...

■ En casa de los demás se comporta como en su propia casa

Expresado de esta forma, esto parece bastante claro. Pero después de haber visto a varios amos imponer a su animal, podemos asegurar que esta noción se queda corta para algunos.

Respetar a los «no amos»

Nuestro animal forma parte de nuestra vida, no podemos imaginarnos ni un sólo minuto sin él. Es totalmente comprensible. Pero no podemos separarnos del resto del mundo ni enfadarnos con todos porque tenemos en casa un perro. Por otra parte, tampoco debemos pensar que los animales gustan a todo el mundo.

A algunas personas, sin llegar a odiarlos, no les gusta recibir animales en su casa. Los dueños de los perros tienen que aceptar esta toma de posiciones. Las relaciones con los «no amos» serán mucho mejores y más cordiales.

Las razones de rechazo de un animal pueden parecernos aberrantes: presencia de pelos, miedo a que el animal deteriore el sillón, etc. Un buen amo, consciente de estos derechos y de sus deberes, tiene que tolerar esta actitud.

Tenemos que reconocer a los demás el derecho de no amar a los perros o de no querer a los perros de los demás en su casa aunque ellos tengan uno.

Algunas personas tienen miedo, por ejemplo, de los perros, de nuestro perro, y no quieren decirlo abiertamente: tenemos que intentar adivinarlo.

El amo tiene que ser un buen psicólogo con su perro, pero también con las demás personas.

La división entre amos/no amos se debe a menudo a los propios dueños de perros, y esta situación es muy negativa para todos.

Así pues, para educar correctamente a nuestro cachorro y hacerlo agradable para todos, tenemos que saber hacer que pase inadvertido. Es decir, que no se le vea, bien porque sabe ser discreto, bien porque, simplemente, no está.

¡Evidentemente! Podemos salir sin él. Recordemos que el animal es algo más en nuestra vida, y no un freno. Tenemos que estar convencidos de esto. Podemos y debemos salir de vez en cuando sin él.

Ya veremos que un animal demasiado unido a su amo puede desarrollar trastornos de comportamiento englobados bajo el término «ansiedad de separación».

Prevenir y preguntar

Si vamos a casa de algún amigo, tenemos que evitar llegar con nuestro perro sin haber avisado antes y recurrir al efecto sorpresa para que tenga que aceptar a nuestro animal.

Las personas que nos reciben quizá no se atrevan a decir nada, pero el animal percibirá muy claramente que el ambiente no le es favorable. Nos estresaremos o nos irritaremos por la actitud de nuestros amigos, pero ellos están en su casa. Sobre todo, no debemos bajar al perro de nuevo al coche. No aceptan muy bien esta injusticia, y puede pasarse las dos horas que dure la cena devorando los asientos.

Si queremos asistir con nuestro perro, tenemos que hacer como se hace en los restaurantes y en los hoteles: preguntar antes si no ven inconvenientes. ¡Podemos ir a cenar sin el perro si no lo aceptan!

El problema de este aprendizaje es que tiene que hacerse con la práctica, porque, a menos que tengamos unos amigos muy simpáticos para hacer de cobayas y que podamos saber así si nuestro animal se comporta bien en su casa, tendremos que esperar a vivir la situación. Únicamente durante una velada podremos rectificar el tiro.

Planteamos ahora algunas situaciones típicas, los obstáculos que se tienen que superar y algunas soluciones.

Anticipar el comportamiento del animal es la primera etapa de la educación. Corregirla en caso de situaciones complicadas es la segunda.

Los «demás» tienen un animal

Ya hemos avisado: *Rex* estará allí esta noche. Ellos han aceptado y todo parece perfecto, pero en realidad todo está por hacer.

REX NO ESTÁ EN SU CASA
Cuando vamos a casa de unos amigos, no nos parece normal abrir todas las puertas, preguntar si podemos acostarnos en la cama y colocarnos el pijama de nuestro amigo.

Sucede los mismo con nuestro animal: no está en su casa, y no debemos dejarle oler por todos sitios, ni abrir todos los armarios, aunque se trate de un cachorro.

Este comportamiento exploratorio es normal en un animal joven. El problema está precisamente ahí. Por lo menos, tendremos que intentar evitarlo.

La regla de base es que nuestro perro tiene que respetar el territorio del otro animal, sea cual sea.

LOS AMIGOS TIENEN UN GATO

Nuestro perro tiene que permanecer tranquilo, aunque el gato venga a verlo. No debemos permitir que el gato se tenga que esconder toda la velada debajo de la cama. Este, generalmente, después de asustarse (si no está acostumbrado a los perros), se va discretamente. Es el gato el que se tiene que sentir «seguro», aunque esto parezca difícilmente realizable en la práctica. Si nuestro perro no soporta verlo, tenemos que colocarle otra vez la correa y atarlo de nuevo.

LOS AMIGOS TIENEN UN PERRO

La situación, en el caso de que no se entiendan entre ellos, es más complicada. Ninguno de los dos cederá.

Es primordial saber que somos nosotros, como amos, los que tenemos que ceder por nuestro animal. Si tenemos que encerrar a uno de los dos perros para evitar una pelea, tenemos que elegir al nuestro, aunque sea el otro perro el que ha atacado primero porque está mal educado: él está en su casa. Por el interés de nuestro animal y de la continuación de su educación, no debemos encerrar al otro, ya que tendría entonces la impresión de que por todas partes por donde va se le reserva el dominio. Tiene que tomar consciencia de que en casa de los demás no posee ningún lugar asignado.

Los «demás» no tienen un animal

Han aceptado recibir al nuestro, con conocimiento de causa porque ya han tenido un perro o en la ignorancia más absoluta. Se pensaban que un perro dormía toda la noche debajo de la mesa, pero durante la velada se dan cuenta de que no es así: *Rex* no duerme para nada.

LES GUSTAN LOS ANIMALES

Nos lo han dicho y nos lo hemos creído. Les gustan los animales, pero no sus consecuencias (pelos, pipí...). Cuando nos han visto llegar con el briard, tan peludo, han exclamado: «¡Oh, qué grande y qué peludo!». ¡Evidentemente! ¡Es un perro!

Este, al olfatear un territorio neutro de olores animales pero lleno de olores humanos, reencontrará el instinto de marcaje. Puesto que sabemos que para esto el perro orina, tenemos que desconfiar. En estas situaciones es cuando nos damos cuenta de que el aprendizaje del territorio en casa es fundamental, puesto que si nuestro animal respeta las zonas prohibidas en nuestra casa, respetará las zonas que no pertenecen a su territorio. Si tenemos problemas en casa de nuestros amigos, debemos empezar de nuevo la educación en nuestra casa.

No debemos intentar hacer nada durante la velada. Los primeros comentarios de nuestros amigos nos habrán hecho perder nuestra autoridad sobre el perro. Este último lo percibe muy bien. Además, en cuanto levantamos la voz les oímos decirnos: «Déjalo, es adorable».

NO LES GUSTAN LOS ANIMALES

No nos lo han dicho claramente, han querido ser cordiales; pero cuando llegamos y nos proponen encerrarlo en el baño toda la velada «para que esté mejor», lo comprendemos... aunque demasiado tarde.

En general, nuestro perro se comporta todavía peor. Por esta vez todo está perdido.

La lección que podemos sacar de estas situaciones es que no podemos intentar ir por todas partes a cualquier precio con nuestro perro. Incluso con un animal bien educado, algunas situaciones son demasiado difíciles de dominar. Tenemos que enseñarle a quedarse solo: su velada y la nuestra serán mejores.

¿Y durante un viaje?

◼ Los viajes

Tendremos que realizar este aprendizaje aunque no seamos unos grandes aventureros. No hay nada más lamentable que verse obligado a privarse de desplazamientos porque el perro no soporta los viajes, o a prescindir del perro durante estos. A menos que existan razones médicas, todos los perros pueden viajar si se lo enseñamos. Podemos dejarlos en casa durante una velada, pero es mejor llevárnoslo de vacaciones.

Los medios de transporte

Es incuestionable la dificultad que entraña enseñar a un perro a viajar en avión si no disponemos de un *jet* privado. Veremos únicamente qué podemos hacer para «desestresar» la situación.

En efecto, sea cual sea la forma de transporte, el estrés del amo se encuentra a menudo como origen de la ansiedad y de los trastornos del perro.

EL COCHE

No debemos dejar nunca que el perro se pasee por el coche, pasando alegremente de la parte delantera a la trasera. Tampoco debemos ponérnoslo sobre las rodillas para conducir. El perro tiene que colocarse a nuestros pies (si no conducimos, evidentemente). Tenemos que evitar dejarlo suelto por los asientos si queremos que el coche esté limpio. Si no acepta esta situación, tenemos que mantenerlo atado con la correa y forzarlo a sentarse en el suelo. En un primer viaje, no debemos ir nunca solos con el perro, porque no podríamos conducir y dominar una situación difícil al mismo tiempo. ¡Tenemos que escoger!

Para los viajes largos, las pausas son indispensables.

EL BARCO, EL AVIÓN, EL TREN

Si nuestro perro pesa más de 3 o 5 kg tendremos que separarnos de él durante el viaje. Para estos casos están previstas unas cajas especiales. Normalmente se transportan junto a las maletas. Veremos a continuación cómo preparar al animal, y sobre todo al amo.

Tenemos que pedir información a la compañía, porque algunas exigen jaulas específicas. También piden a menudo algo para calmarlo.

El aprendizaje

Evidentemente, será la costumbre de viajar desde muy joven lo que mejorará la situación. La educación aquí, excepto en el caso del coche, es difícil. Se trata mucho más de conseguir que el animal confíe en el amo que de aprendizaje.

EN COCHE

Muchos cachorros vomitan en el coche o salivan en exceso. Lo hacen a veces ante la simple visión del vehículo. Para evitar este fenómeno, podemos hacer recorridos muy breves al principio.

El problema es que se trata de un círculo vicioso: el perro vomita porque está inquieto y el hecho de vomitar le da miedo. Así pues, tenemos que conseguir que llegue a subir a un coche al menos una vez sin vomitar. Entonces se tranquilizará. Los pequeños trayectos permiten limitar las náuseas, porque sencillamente no tienen tiempo de producirse.

También podemos dejar el coche abierto si tenemos jardín para que el perro pueda entrar por sí solo en él. A menudo, las prisas y el hecho de forzar al perro a subir al coche son motivo para contrariarlo.

También podemos utilizar antivomitivos. Tienen la ventaja de impedirle vomitar y suprimir la su vez la ansiedad relacionada con esto. Pero debemos utilizarlos lo menos posible.

A pesar de estas precauciones, algunos perros siempre se ponen enfermos en el coche.

EN BARCO, EN AVIÓN, EN TREN

En estos casos no hay un aprendizaje real. No podemos reñir a nuestro perro si ha tenido miedo. Nosotros mismos tenemos que estar muy confiados en el momento de poner al animal en la jaula. Sólo así aceptará. También podemos recurrir a los calmantes (siempre bajo control del veterinario).

La educación, como ya se ha dicho en la definición, permite tener un animal agradable con nosotros y en cualquier situación. Tiene que saber respetar su territorio para que respete el de los demás. Es este aprendizaje, el de los demás (personas y animales), el que abordaremos a continuación.

Esta última parte nos permitirá separarnos lo menos posible de nuestro perro, sin imponerlo, y vivir con él y con los demás con toda seguridad y en armonía.

Esto forma parte del aprendizaje de la vida en sociedad, recordando siempre que los «demás» tienen derecho a no aceptar la presencia de un animal. Aceptarlo es una de las cualidades del amo.

Constataremos que actuando de esta forma las antipatías desaparecen a veces por sí solas. Algunos amigos alérgicos a los perros nos propondrán algún día que vayamos a verlos a su casa con el perro, «porque, realmente, es perfecto».

El aprendizaje de los demás

Ya hemos visto que el animal tiene que respetar los lugares por los que tiene que moverse. También debe respetar a las personas con las que vive y a las que se encontrará tanto de forma regular como de forma ocasional.

Los «demás» también son los otros animales. Ya veremos cómo actuar para hacer que un perro ya instalado en un lugar acepte a otro animal. Esta aceptación de los demás forma parte de su educación.

Una de las bases de este aprendizaje es poner rápidamente al cachorro en contacto con los «demás». Si no podemos recibir en nuestra casa a personas o animales, entonces tenemos que ir a su encuentro.

Pasearemos a nuestro cachorro en cuanto sea posible por los mercados, las estaciones, etc.

No debemos asustarlo, tenemos que esperar a que camine correctamente con la correa. Pero tiene que estar en contacto con los demás, y para ello es necesario que esté correctamente vacunado.

Del mismo modo, tenemos que ir con él por los parques por donde se pasean otros perros. Tenemos que enseñarle perros, pero también gatos y pájaros. Un gato jugando con un dogo ale-

111

mán no tiene nada de excepcional, siempre que la socialización se haya hecho cuando era joven. Veremos cuáles son las reglas que se tienen que respetar.

También veremos cómo abordar las relaciones del perro y del niño.

En este capítulo, dedicado al aprendizaje de los demás, veremos que la educación del amo es tan importante como la del perro. Es necesario, en efecto, que los propietarios estén convencidos de la necesidad de este tipo de aprendizaje. A menudo esto no parece importarles, porque se trata de situaciones que se presentan de forma ocasional. Un perro debe adaptarse a *todas* las situaciones. Además, la situación del amo puede cambiar: matrimonio, hijos... El perro tiene que ser capaz de aceptar nuevas personas en su entorno. El amo no debe encontrarse ante el dilema de escoger entre su perro y su nueva vida.

Podemos clasificar a los demás en dos categorías: la familia y los amigos próximos, que el perro verá muy a menudo, y los desconocidos, que sólo encontrará alguna vez en nuestra casa o se cruzará con ellos por la calle. Trataremos en un tercer apartado de la relación de nuestro perro con los demás animales.

Ya hemos señalado en el capítulo «Las bases de la educación» que el punto de referencia de la familia es muy importante para él (véase pág. 26). Tiene que identificar rápidamente a sus miembros para saber a quién tiene que obedecer. Debido a esto, se aconsejaba evitar, durante las primeras semanas, las «visitas guiadas» de los amigos. Hay que dejar que el cachorro se acostumbre a su familia. Para que sus puntos de referencia se establezcan son necesarios unos quince días.

▪ La familia

Distinguiremos entre las relaciones del animal con los adultos y con los niños. El aprendizaje consistirá en hacer entender al animal esta diferencia, para evitar cualquier accidente. Pero tendrá que obedecer a todo el mundo.

112

Los adultos

Este término engloba a los amos y a todos los adultos con los cuales el perro convivirá de forma regular en su casa, en ausencia o en presencia del amo: es decir, también el personal de la casa. En efecto, es importante que si hay algún empleado trabajando en nuestra casa, pueda tener una cierta autoridad sobre el perro. Esto es a menudo delicado.

El perro, durante nuestras ausencias, considera que él es el encargado de guardar la casa. Aceptará muy difícilmente la presencia de una persona desconocida y que además invade sus dominios y los de sus amos.

Los adultos familiares son también los amigos y, particularmente, aquellos a quienes podríamos dejar al perro para su cuidado. Esto tenemos que prevenirlo con tiempo.

Los amos

Hemos insistido durante todo el libro sobre el hecho de que, aunque uno de los miembros de la familia se encarga de forma más enérgica que los demás de la educación del cachorro, todos tienen que mantener la misma actitud ante él.

Esto tiene que salir de nosotros, pero también tenemos que enseñarle a respetar a la familia lejos de la presencia del amo. De lo contrario, nos daremos cuenta enseguida de que el cachorro ha tomado como punto de referencia al más indulgente.

Esta situación de desobediencia total de un perro en ausencia de su amo es muy frecuente. Si el perro «siente» a su amo, aunque esté lejos, obedecerá a otra persona.

Si, por ejemplo, uno de la pareja está en el jardín con el perro y el otro está en la casa, no habrá ningún problema. Si uno de los dos se va, el perro se vuelve un verdadero demonio. Se trata de una actitud que el cachorro adopta muy rápidamente. Por lo tanto, tenemos que estar atentos durante las primeras semanas de la educación.

En cuanto este fenómeno aparece, la persona en situación de menos autoridad tiene que solucionar imperativamente el problema ella *sola*. No debe en ningún caso pedir ayuda a la que tiene más autoridad. El perro interpretará esta demanda de ayuda como una debilidad y será todavía más desobediente.

La persona menos autoritaria tiene que obtener la realización de la orden en el momento justo. De lo contrario, el castigo puede ser eficaz pero no sistemático. El perro percibiría entonces que la autoridad solo está basada en la reprimenda, algo muy negativo.

Aunque esto no vaya con el carácter de algunas personas, también deben tomar parte en la educación del animal si están en contacto con él de forma regular.

Los empleados

Es primordial que el perro obedezca a las personas que trabajan en nuestra casa. Para ello, es necesario que esté educado correctamente, pero también que los empleados sepan hacerse respetar. Ahora veremos cómo debemos actuar.

Tenemos que estar presentes durante el primer encuentro del empleado con el perro, y no debemos aceptar que nos siga por todas partes. Tiene que quedarse en su cesta durante la primera visita. Sólo así comprenderá que no es el amo del lugar cuando el empleado esté sólo con él.

Luego tenemos que ausentarnos durante una hora dejando al perro sólo con la persona. Si se ha comportado bien felicitaremos al perro.

A continuación permitiremos al empleado dar órdenes al perro en nuestra presencia como: «¡Sentado!» o «¡Ve a tu cesta!».

El perro tiene que aceptar la presencia del empleado, pero también tiene que entender que esta relación no es afectiva. No debe buscar las caricias sin cesar. Esta «neutralidad» afectiva es difícil de admitir a veces, tanto para uno como para el otro.

El caso del cartero

Sucede a veces que el perro muerde al cartero, y esto no tendría que producirse en ningún caso. Tenemos que reconocer que estos mordiscos son debidos muy a menudo a la actitud del amo, debida en este caso no a la maldad, sino a la ignorancia. El cartero, que toca los buzones, es para el perro un provocador. Está tocando su territorio; el perro no puede responder, porque se encuentra en la casa o en el jardín, y, además, el cartero tiene la desfachatez de irse y volver cada día.

El día en que el perro tiene la posibilidad de morderle, lo hace.

Los amos, pensando que hacemos lo correcto, encerramos al perro o lo mantenemos con el collar para evitar los mordiscos. Esto refuerza el sentimiento de injusticia del perro, al que, de esta forma, impedimos «defenderse».

Es necesario que el amo deje entrar al cartero en el jardín desde el primer día. El perro tiene que quedarse detrás y, al final de la conversación entre el amo y el cartero, el perro podrá venir a saludar.

Los niños

El contacto perro-niño, contrariamente a lo que se oye normalmente, no es innato en el perro. Algunos perros son dóciles con los niños, porque forma parte de su carácter. Pero los que no son así al principio, también pueden aprender a serlo. No es normal desconfiar de la actitud de *nuestro* perro con *nuestros* hijos. Hablaremos luego del caso de los niños desconocidos para el perro, algo que es totalmente diferente.

El perro puede estar en casa antes de la llegada del niño o llegar después de su nacimiento. Consideraremos los dos casos.

EL NIÑO YA ESTÁ EN CASA
Hemos decidido adquirir un cachorro.

Sea cual sea la edad del niño, el nuevo perro no debe manifestar ningún signo de agresividad contra él.

Si se trata de un bebé, todo el trabajo de educación se dirigirá hacia el perro, pero a partir de los cinco-seis meses, también podremos hacer tomar consciencia al niño de la actitud que tiene que adoptar frente al perro, aunque la educación del niño no se trate en esta obra. Hablemos simplemente del cachorro.

El primer principio es el de la *separación*. El cachorro no debe dormir ni en la cama ni en la habitación del niño. El animal buscará su compañía, pero, aunque esto parezca encantador, no debemos fomentar esta actitud.

La razón es que el cachorro crecerá y se hará adulto mucho más rápido que el niño y podrá transformarse en protector. Tenemos que mantenernos siempre con una relación jerárquica. El niño tiene que ser considerado por el perro como un amo y no como un protegido, y tiene que poder hacer obedecer al perro durante nuestra ausencia. Es importante, por ejemplo, que un niño pueda sacar él solo al perro o pueda quedarse con él en la casa.

Para ello, podemos pedir al niño que enseñe ciertas órdenes al cachorro como ya hemos visto: «¡Sentado!», «¡De pie!», o a caminar con correa. Esto permite crear relaciones jerárquicas con suavidad.

Podemos dejar al animal sólo con el niño en una habitación para que lo escuche bien. Sólo debemos interponernos si el animal pone demasiado a prueba al niño y la relación se vuelve peligrosa. De lo contrario, el cachorro sentirá que el niño es débil y necesita de nosotros para hacerse respetar.

EL NIÑO LLEGA

El perro está con nosotros desde hace algunos años. El recién nacido es percibido entonces como un intruso. El aprendizaje de la aceptación de este otro es mucho más delicado, porque el perro ya está educado. Tenemos que enseñarle algo nuevo cuando su comportamiento ya está formado.

No hay nada imposible, aunque se tienen que superar algunas dificultades. El perro tiene que aceptar al niño pero somos nosotros los responsables de que lo acepte.

Al principio, tenemos que mantener el mismo ritmo de vida. Tenemos que sacar al perro tan a menudo como antes. Si la nueva «madre» no puede sacarlo cuando sí lo hacía antes, tiene que acariciarlo más, hablarle para que no se sienta abandonado de repente.

También podemos preparar al perro para esta nueva llegada. Dos o tres semanas antes del nacimiento disminuiremos de forma progresiva el tiempo que pasamos con el perro para que la diferencia sea menos brutal a partir del nacimiento.

A continuación, debemos dejar, estando atentos evidentemente, que el perro conozca al recién nacido. Sin permitir grandes lamidos, dejaremos que se acerque a la cuna. Evitaremos rechazar al perro cada vez que nos ocupamos del bebé, porque él lo entenderá como una injusticia e intentará acercarse a la cuna a nuestras espaldas. Por otra parte, tenemos que pedirle que se siente y que no salte al lado del niño.

El perro entenderá rápidamente que este intruso es frágil, pero que aceptamos su presencia junto a él.

No debemos olvidar que siempre existirán «riesgos» con un animal instalado desde hace mucho tiempo en una casa sin niños. Para reducirlos, tenemos que enseñar a nuestro animal a no entrar en contacto directo con el bebé. No debemos rechazar al perro cuando se acerca, pero cuando haya olido al bebé en nuestra presencia debemos decirle: «¡Sentado!», mostrando con el dedo el lugar opuesto a la cuna.

Cuantas menos prohibiciones se le hagan al perro con respecto al bebé, más rápidamente y sin problemas lo aceptará.

Pero no debemos dejar nunca solos al perro y al bebé. El recién nacido llora, se ensucia y no huele todavía como los de su especie: los humanos. Por lo tanto, el perro no lo reconoce como hombre. Así pues, el animal pensará que es correcto eliminar a esta «cosa» intrusa y molesta. Al crecer, el bebé será identificado como un humano por el perro.

▉ Los desconocidos

También aquí estableceremos una diferencia entre los adultos y los niños. Pero en este caso serán personas que el animal se encontrará por la calle o que invitaremos a casa de forma excepcional.

Los adultos

Consideraremos los casos de las personas que encontramos en la calle y los casos de las personas que nos visitan en casa.

El problema se centra en el hecho de que el perro está en su casa. Su instinto lo empuja a defender su territorio frente a los desconocidos. Así pues, tenemos que enseñarle a no meterse en lo que no le concierne. En efecto, el perro no tiene por qué venir a oler a las personas que vienen a vernos de forma excepcional. Los carteros, desgraciadamente, son a menudo el «blanco de tiro» de los perros. Aunque a veces esto nos haga reír, no es normal. Un perro no puede ser «alérgico» a los uniformes, algo que como ya hemos visto no es la razón real de los mordiscos. El perro tiene que permanecer en su cesta y no ladrar. El único remedio en este caso será reñirlo. Es muy difícil esperar a que el perro se comporte bien para felicitarlo.

Si salta sobre el invitado, debemos regañarlo. Tenemos que enviarlo con firmeza a su cesto. Si no quiere ir, lo cogeremos por la piel del cuello y lo meteremos dentro nosotros mismos. Tiene que permanecer allí durante todo el transcurso de la visita. Cuando el invitado se haya ido, podremos felicitarlo por su buen comportamiento.

Fuera

El aprendizaje de los «demás» es mucho más delicado.

No siempre somos patrones de nuestro perro debido a esos «otros». Es frecuente ver a personas tomar la iniciativa de acercarse a acariciar a un cachorro. Así, lo incitan a que se excite y les salte encima. Luego nos costará mucho calmarle.

Tenemos que utilizar el término «¡No!», y utilizar la correa. En cuanto el cachorro quiera saltar sobre alguien, tiraremos de la correa y diremos: «¡No!».

Da igual que la gente nos encuentre severos. Serán mucho menos indulgentes con el perro cuando el labrador de 40 kg les salte encima.

Los niños

El problema se planteará, como con los adultos, en casa y en el exterior. Recordemos que se trata de niños con los que el perro no trata de forma regular. Tomemos el ejemplo de una pareja de amigos que viene con sus hijos. Si nuestro perro convive con niños, la situación normalmente no plantea problemas. Por el contrario, si nuestro perro no ha visto nunca a niños, tendremos que estar muy atentos. Las órdenes de base (como: «¡Sentado!» o «¡Al cesto!») serán muy útiles. Pero no siempre podremos impedir que el niño vaya hacia el perro y quiera acariciarlo. Tenemos que delimitar firmemente y de forma clara el dominio del perro. Podemos colocar, por ejemplo, algunos cojines que no podrá franquear delante de su cesta. Pediremos al niño que respete esta «frontera». Es verdad que tenemos que educar a nuestro perro, pero también tenemos que protegerlo de los demás. Si son los demás los que provocan la falta, no tenemos que castigar a nuestro perro. Lo que no debemos hacer es encerrar al perro cuando viene un niño, porque el perro asociará su llegada con el castigo injusto y se volverá «alérgico» a los niños. Si protegemos a nuestro perro, aceptará mucho mejor la presencia del niño en su casa. También podremos exigirle que respete nuestras órdenes, puesto que respetamos su tranquilidad aislando su dominio.

La situación en la calle es delicada. En estos casos, a menudo son los niños los que vienen hacia el perro. Es importante, para evitar los accidentes, conocer bien sus reacciones. Si pensa-

119

mos que puede tener una reacción brutal, somos nosotros los que tenemos que evitar el encuentro. Si castigamos al animal será peor. Pediremos al niño que no se acerque, o mantendremos al perro con la correa lo más cerca posible de nosotros.

Los otros animales

También aquí podemos distinguir dos categorías de animales: los nuestros y los que nuestro perro verá una sola vez (a estos últimos les daremos el nombre de desconocidos).

Los nuestros

Aquí englobamos a los animales que ya están en la casa cuando llega el cachorro y los que podemos adquirir después de su llegada. Nuestro animal tiene que acostumbrarse a todos estos eventuales cambios.

EL CACHORRO ES EL «SEGUNDO»

Ya tenemos un perro cuando llega el cachorro. Veremos a continuación el problema de la educación del «viejo». Pero miremos por ahora hacia el recién llegado.

No podemos dejar que nos sienta «tiernos» e indulgentes con él. Tiene que aprender a respetar el lugar del antiguo. En caso de conflicto no debemos interponernos sin cesar entre los dos perros y defender al joven. Esto sólo reforzaría su posición de dominante y engendraría reacciones de agresividad en los dos campos, incluso mucho más tarde (¡sobre todo más tarde!).

En cuanto el cachorro se acerca al cesto del viejo, diremos: «¡No!», y lo mismo haremos si coge sus juguetes o si come en su escudilla. Si el joven insiste, lo zarandearemos por la piel del cuello y lo reñiremos, pero también lo felicitaremos cuando se comporte de forma normal.

El antiguo aceptará al nuevo si ve que tiene asegurado su lugar. Luego, dejaremos a los animales que establezcan su jerarquía entre ellos.

Nuestra intervención tiene que limitarse a los primeros días para hacer comprender al viejo que el joven no lo sustituye, y al joven que él no es el rey. Debemos hacerles comer en lugares un poco alejados, pero al mismo tiempo. Tenemos que intentar hacerles vivir al mismo ritmo: salidas, pipís, paseos.

LA EDUCACIÓN DEL ANTIGUO
¿Cómo lograr que el viejo acepte al joven?

Él tiene, en efecto, sus señales muy establecidas. También en este caso tenemos que ayudar al perro a aceptar al otro para que el aprendizaje sea rápido. Contrariamente al aprendizaje de las órdenes de base, aquí colocamos a nuestro perro en una situación delicada. No ha sido educado desde el principio para aceptar a otro perro en su casa. Así pues, somos nosotros también quienes debemos poner toda nuestra voluntad.

Sin provocar las reacciones de dominación frente al nuevo, tenemos que considerar que el viejo está en su casa. Es el joven el que tiene que acostumbrarse.

Se trata de una tarea muy dura para él, porque tiene que comprender que está en nuestra casa y que el territorio todavía está más limitado, puesto que una zona ya está ocupada por otro. Sólo así evitaremos las confrontaciones entre los dos para ponerse a prueba y podremos exigir un cierto comportamiento al viejo.

Éste tiene que respetar las comidas del joven y no comer tres veces al día como él. Tenemos que intervenir si le molesta durante las comidas, y no debemos ceder a las exigencias de un suplemento por parte del «viejo».

Atribuiremos objetos y un rincón específico al nuevo y haremos que el viejo lo respete.

Como ya veremos, el joven copia a menudo el comportamiento del otro. Si queremos tener dos perros bien educados, no podemos equivocarnos con la primera experiencia.

Los animales desconocidos

Estos desconocidos podemos encontrarlos por la calle o pueden venir a casa.

ENCUENTRO EN EL EXTERIOR

El problema principal es enseñar a nuestro perro a no dejarse llevar por sus instintos. Tenemos que evitar las peleas. Siempre es más delicado manejar esta situación fuera que en casa, donde «lo vemos venir».

Un perro que se está peleando ya no escucha a nadie. Desgraciadamente, sólo después de la pelea podremos enseñarle que no tiene que pelearse.

Aquí se sitúa todo el problema de este aprendizaje. Únicamente los trabajos prácticos son educativos. No provocaremos la pelea. Para evitarla tenemos que dominar a nuestro perro, con la orden de llamada, por ejemplo. Si nuestro perro se muestra peleón, tendremos que hacer muchos ejercicios de llamada.

Ya hemos visto que la educación que se aconseja en este libro no utiliza ejercicios, pero son aconsejables en estos casos precisos para poder estar seguros de que nuestro perro responderá a la llamada incluso ante una situación delicada.

Tenemos que llamarlo cada vez desde más lejos, y debemos provocar las situaciones difíciles haciéndolo jugar con el perro de un amigo y llamándolo luego en pleno juego. Sólo de esta forma nos escuchará *antes* de la pelea.

¿Qué hacer cuando llega?

La primera regla es la de irse. Simularemos que nos vamos: a menudo los perros sólo se pelean en presencia de los amos para poner a prueba sus fuerzas. Si los dos propietarios se van, los perros los seguirán. También podemos intentar llamar la atención de nuestro perro llamándolo, sin gritar, y retrocediendo.

Sobre todo no debemos interponernos: nos morderían con toda seguridad. Tampoco debemos defender al más pequeño. La solución no tiene nada que ver con las responsabilidades de uno o del otro.

ENCUENTRO EN NUESTRA CASA

Recordaremos aquí las nociones evocadas en «El aprendizaje del territorio», adaptándolas a esta nueva situación.

Nuestro perro se encuentra en su territorio. No debemos dar privilegios en ningún caso al visitante. Es cierto que a veces es delicado. Los invitados no entenderán siempre por qué no aislamos a nuestro perro cuando esto evitaría los enfrentamientos. Estaría muy mal visto pedir a los visitantes que encierren a su perro o que lo lleven de nuevo al coche. Y se trata de la mejor solución.

El perro invitado tiene que doblegarse a las costumbres de la casa. Si encerramos a nuestro propio perro le parecerá una provocación y una humillación: un intruso penetra en su territorio sin que él pueda defenderse.

No tiene que sorprendernos que luego se vengue. En cambio, nuestro perro no tiene que provocar al otro. Lo más sencillo es proponer a los amos instalar a su perro en un rincón de la entrada y hacer que el nuestro se quede en su cesta.

Tampoco debemos colocar al visitante en una habitación que normalmente está prohibida a nuestro perro.

Por otra parte, tenemos que intentar dejarlos en una habitación distinta de la que nosotros nos encontramos (en la entrada, por ejemplo). En efecto, la mayoría de las peleas se declaran en presencia de los amos. Durante su ausencia, el visitante se somete muy fácilmente a la dominación del residente. Pero a menudo el miedo de los amos los empuja a mantener al animal a su lado.

Cuando la visita se haya ido, tenemos que felicitar al perro por su buen comportamiento.

El aprendizaje de «los demás» es fundamental para completar la educación de un perro. Un animal bien educado en su casa pero completamente alocado o agresivo fuera de ella hace la vida imposible a su amo.

Ya hemos visto la importancia de la noción de jerarquía en este aprendizaje, entre los propios animales y entre los animales y las personas.

Estas relaciones son a veces difíciles de admitir para los propietarios. Veamos un último consejo para optimizar las relaciones de los animales con los «demás» si tenemos varios perros.

Cuando los dos perros están acostumbrados el uno al otro, establecerán relaciones jerárquicas a veces diferentes de las debidas lógicamente a la edad. El joven puede volverse dominante. Tenemos que respetar, como amos, este orden de las cosas. De esta manera, favoreceremos siempre al dominante, para no contrariar las relaciones establecidas por ellos. Cuando adquirimos un nuevo animal, tenemos que respetar la posición de dominante del antiguo, pero sólo durante los primeros días; luego dejaremos que la naturaleza actúe.

Esta oposición del amo a la jerarquía puede provocar peleas. Tenemos que acoger, por ejemplo, al dominante primero y luego al dominado. Si existe alguna pequeña pelea entre los dos tenemos que reñirlos a ambos, porque, tomando partido por uno o por el otro, podríamos modificar su relación.

Tenemos que ser un amo para los dos a la vez y no un protector para uno de los dos. Si su relación cambia y el dominado se vuelve dominante, tenemos que respetar esta nueva situación.

Insistimos sobre un punto: sólo permaneciendo siempre conscientes de estas relaciones jerárquicas aseguraremos el equilibrio de nuestro perro.

A pesar de todas estas precauciones, quizá nos encontremos ante un animal difícil. No se trata obligatoriamente de un animal que muerde sin cesar (este caso puede existir, pero nos encontramos entonces ante un caso de patología grave).

El animal difícil es encantador cuando le conviene la situación y se vuelve imposible de dominar cuando la situación no es de su gusto. Los amos buscan entonces las situaciones agradables para el animal, evitan las otras para tener más tranquilidad y el comportamiento del perro empeora.

Tenemos que reñir a nuestro perro y, sobre todo, no evitar contradecirle. Si no le reñimos, conseguiremos estar tranquilos durante un tiempo, pero tendremos que hacer frente a otros problemas más importantes y numerosos.

A continuación, abordaremos el ámbito de la reeducación de un animal con problemas. Cuidado: no son más que consejos para situaciones fáciles de dominar. Para las situaciones más delicadas que no se pueden resolver solas es necesario consultar con un veterinario.

Pero si hemos aplicado todos los principios y consejos precedentes, no tendríamos que vernos obligados a recurrir a este capítulo. Esto puede ser útil si hemos adoptado un animal educado ya por otro amo, por ejemplo, o si nuestro animal es realmente un rebelde.

Los fracasos:
causas y consecuencias

> • ¿Problemas de comportamiento?
> ¡Controlemos los fracasos!

El término «fracasos» designa más los pequeños accidentes del comportamiento que los verdaderos trastornos graves. Pero a veces se hace necesaria una revisión de la educación. Es esta reeducación de base la que proponemos en este capítulo. Dejaremos de lado los trastornos patológicos que necesitan una terapia específica controlada a través de las visitas a un veterinario.

Una revisión

Tenemos que admitir ante todo, sin culpabilizarnos, que muchos comportamientos anormales del perro son consecuencia de un «error» del amo y de relaciones anormales amo-perro. Se trata de errores involuntarios muy a menudo debidos a falta de tiempo, a una educación demasiado permisiva o a relaciones afectivas anormales. Los siguientes consejos nos permitirán corregirlos.

El animal puede ser sometido a crítica (aunque no se trate de juzgar): podemos tener un animal de carácter difícil que intenta escaparse de forma permanente a las reglas de educación y al que tendremos que reñir continuamente.

Lo esencial, ante estas dificultades de educación, es permanecer abierto. No tenemos que buscar a un responsable. Sólo tenemos que intentar encontrar lo que ha podido provocar esa situación. Únicamente de esta forma podremos rectificar los trastornos.

Una actitud negativa nos conducirá a un agravamiento de los comportamientos defectuosos. La mayoría de los trastornos aparecen antes del año. Por lo tanto, todavía no es demasiado tarde.

La elección de una raza

Hablamos de nuevo de este tema porque la raza se encuentra en el origen de ciertos problemas. Cada raza tiene una imagen popular que a menudo no es más que una creencia. El pastor alemán es malo, los cockers muerden, los perros pastores corren detrás de la gente. Es verdad para algunos animales, pero no se trata del perfil general de una raza bien educada.

Algunos amos atribuyen a su perro defectos, inherentes según ellos a la raza, y piensan que es normal que el perro tenga estos defectos. Por lo tanto, no intentan corregirlos o, peor todavía, los estimulan. La educación está aquí para poner remedio a esto. La elección de un perro se hace en función de los criterios anteriormente planteados, y un perro se educa sin tener en cuenta las habladurías. De lo contrario, excusaremos a nuestro perro ante una falta real y aparecerán los fracasos.

> Tenemos que asegurarnos siempre de que el trastorno del comportamiento de nuestro animal no tiene en su origen una enfermedad (el perro que orina por todas partes puede tener una cistitis, por ejemplo).

La ansiedad de la separación

Otorgaremos un lugar privilegiado a este tema en el capítulo de los fracasos. En efecto, numerosos problemas de comportamiento derivan de este síndrome de separación. Se encuentra en el origen de fenómenos de ansiedad que se manifiestan en forma de destrucción, agitación, desaseo, etc. Tendremos ocasión de evocarlo precisamente para ciertos trastornos.

He aquí el estudio general de este fenómeno. Intentaremos comprender el origen y los mecanismos de su aparición para poder perfilar la actitud que debemos adoptar para luchar contra este trastorno y sus consecuencias.

Los orígenes

Existen causas desencadenantes, que explican teóricamente la aparición del síndrome, y causas favorecedoras, que intervienen en la aparición de trastornos del comportamiento.

LAS CAUSAS DESENCADENANTES

La causa de este síndrome es el exceso de afecto del perro por una de las personas de la familia. Así pues, los trastornos derivarán de la ausencia del individuo al que el perro está unido. Esta falta de afecto momentánea provocará en el animal una actitud anormal.

De forma paradójica, el retorno del amo provocará también una actitud anormal en el perro. Veremos de qué forma se manifiesta esto. Lo que interesa saber es que estos signos de «desequilibrio» pueden existir aunque el perro no esté solo. Basta con que uno de los miembros de la familia no esté en casa.

Tendremos que revisar las relaciones del perro con el entorno familiar.

Pero cuidado, porque esto no quiere decir que no debamos tener ningún lazo de afecto con nuestro perro. Esto no tiene nada que ver. Se trata simplemente de saber dosificar y controlar lo que se llama el periodo de apego. Una hiperafección de un perro a una persona no tiene en sí mismo nada de anormal. Simplemente, se ha puesto claramente en evidencia que este lazo afectivo demasiado intenso es la causa de trastornos del comportamiento. Por esto es por lo que tenemos que tener cuidado, sobre todo al principio.

LAS CAUSAS FAVORECEDORAS

Se trata de la edad del cachorro, la presencia permanente del amo y el periodo de adquisición del animal.

La edad del cachorro

Si adquirimos un cachorro que ya no está apegado a su madre, que vive en familia de forma muy independiente, por ejemplo, los riesgos serán menores. El animal ya habrá adquirido una cierta independencia, y la necesidad de descubrir la vida será mayor que la del afecto excesivo a su amo.

En cambio, si el cachorro es demasiado joven (menos de dos meses), tendrá la necesidad de reencontrar a su madre a través de alguien. A los amos les emociona esta necesidad de afecto, y la alimentarán. Lo protegen, dudan en dejarlo solo.

La presencia permanente del amo

Si el amo es mayor y está solo, por ejemplo, el cachorro será una compañía que vivirá de forma permanente con él. Evidentemente, no debemos dejar solo al cachorro a propósito durante todo el día. Tanto el amo como el animal serían desgraciados, cada uno por su lado. No es este el objetivo de una buena educación. Pero tendremos que organizar, como ya veremos, los momentos de separación. Aunque estemos solos con nuestro animal, no debemos llevarlo por fuerza a todas partes con nosotros.

Las vacaciones

Ya hemos señalado la importancia del momento de adquisición del cachorro. Tenemos que evitar el periodo de vacaciones: el cachorro se acostumbrará a tener a su o a sus amos alrededor, respondiendo a sus más mínimos gemidos. El contexto es el ideal para desarrollar una ansiedad ante la separación cuando se comience a trabajar de nuevo.

Las manifestaciones

Son muchas y muy diversas. Como ya hemos señalado, el origen es al mismo tiempo la separación del amo y también su regreso.

Las dos fases pueden provocar trastornos. Volveremos a detallar más adelante las consecuencias para cada trastorno. Veámoslas ahora en grandes líneas.

LOS TRASTORNOS DIGESTIVOS
Pueden ser diarreas o vómitos. Buscamos causas médicas cuando en realidad se trata de la expresión de la ansiedad del perro.

EL DESASEO
El animal que ya era limpio vuelve a hacer sus necesidades en cualquier sitio de la casa durante nuestra ausencia.

No se trata ya de un marcaje del territorio, sino de una expresión de la angustia que siente.

LA EXPRESIÓN ORAL
El animal puede gemir sin parar, ladrar o aullar. Es absolutamente anormal que un perro aúlle como un loco durante la ausencia de sus amos, aunque esté triste. Estas manifestaciones son siempre una fuente de problemas con los vecinos; el propietario siempre le encuentra circunstancias atenuantes. Pero este comportamiento es anormal aunque la causa sea justificada.

LA AGRESIVIDAD
Esta agresividad hacia el amo es en realidad el miedo a verle partir. El perro ha comprendido, al verle prepararse, que la marcha es inminente. Entonces intenta retener su atención e impedir que se vaya. Esta es también la actitud de un perro dominante que no acepta que alguien abandone su territorio sin su autorización.

Todos los perros que presentan un síndrome de separación no muestran agresividad, pero si el animal tiene una pequeña tendencia agresiva, esta se desarrollará en esta situación.

También puede destruir todo durante la ausencia del amo.

¿Qué hacer?

La ansiedad ante la separación que sufre el perro es un fenómeno muy conocido por los especialistas del comportamiento animal. No es fácil curarla sin ayuda. A continuación, proporciona-mos algunos consejos de base para evitarla, por una parte, y para ponerle remedio, por la otra. Pero es necesario saber que un tra-tamiento médico es a menudo necesario (ansiolíticos, por ejem-plo), además de un control veterinario.

DESAPASIONAR LA SITUACIÓN

Las manifestaciones de ansiedad se producen, generalmente, justo después de que el amo se marche, o bien un poco antes de que este se vaya.

La primera precaución que debemos tomar es dar señales de partida lo más discretas posibles. Ya lo hemos visto en el apren-dizaje de la soledad, pero todavía es más claro aquí. Sin irnos bruscamente, limitaremos los preparativos y sobre todo no dedi-caremos al perro palabras reconfortantes que no harán sino au-mentar su ansiedad.

También aconsejamos realizar, para desensibilizar al perro, falsas salidas. De esta forma, estaremos allí para desestresar al perro y para calmarlo. Luego nos iremos durante periodos muy breves. Más adelante, alargaremos el tiempo de nuestras ausen-cias.

La vuelta tiene que plantearse en la más total indiferencia. Tenemos que hacer como si no nos hubiéramos ido. Nos pon-dremos a trabajar en alguna actividad que hayamos dejado a me-dias al marcharnos. El perro, poco a poco, encontrará nuestras salidas y nuestros regresos naturales, se acostumbrará a ellos y les perderá el miedo.

Es verdad que para conseguirlo se necesita mucho tiempo y mucha paciencia. También necesitamos a veces la intervención de otra persona, que no sea de la familia (veterinario o educa-dor).

La prevención de este trastorno reside básicamente en la normalidad de las relaciones amo-perro. Si nos parece que esta-mos en una categoría de riesgo (ya sea debido a nuestra situación familiar o a lo que representa el perro para nosotros), debemos obligarnos a separarnos del animal (dejándolo en casa solo du-rante intervalos de tiempo cada vez mayores, exigiéndole que duerma en su cesta...).

■ El destructor

Junto con la agresividad, se trata del trastorno del comportamiento que se da con más frecuencia.

También es el que resulta más difícil de soportar para el amo.

Este comportamiento anormal es una de las primeras causas de abandono. El amo ya no soporta por más tiempo ver cómo el comedor es saqueado durante cada una de sus ausencias. Los conflictos en las familias acerca de la actitud que se tiene que adoptar son difíciles de resolver en ese caso, lo que es una pena, ya que una buena educación sería suficiente para evitar esta situación.

La acción destructiva puede ir de los simples mordiscos de los muebles y objetos hasta el despedazamiento minucioso y sistemático de los sofás.

Los cachorros toman conciencia de su entorno por la boca: lo lamen y lo muerden todo. Se trata de un comportamiento instintivo, pero tenemos que hacerles comprender enseguida que no deben hacerlo en casa por medio de reprimendas, no con juegos de tira y afloja y dándoles juguetes sólo para ellos.

Veremos que para todos los trastornos del comportamiento, es necesario intentar encontrar la causa para poner en marcha un tratamiento eficaz. El destructor se define como un perro que reacciona ante un problema con una destrucción organizada de su entorno.

Está claro que el cachorro que intenta morderlo todo tiene que educarse, pero no reeducarse. Se trata de una fase normal de su desarrollo, pero que no tiene que amplificarse ni ser duradera.

La reeducación se hace con un animal que ha alcanzado la edad de ocho meses y que mantiene todavía un comportamiento de mordiscos y de destrucción.

Las causas

La destrucción puede ser debida al miedo a quedarse solo, al aburrimiento o a la venganza.

El miedo a quedarse solo origina numerosos casos de vandalismo. Como en el caso del perro ladrador (del que también hablaremos), la ansiedad de la separación es a menudo la causa de este trastorno.

Un animal demasiado apegado a su familia no puede soportar el aislamiento físico o afectivo. Esto puede producirse en casa, con los amigos o en el coche, y también desde los primeros signos de partida del amo. El perro toma, por ejemplo, un cojín, que sacude violentamente.

El castigo no será nunca un remedio eficaz para esta situación. Al contrario, la empeorará.

EL ABURRIMIENTO

Aunque esto pueda parecer excesivo, un perro puede efectivamente aburrirse, sobre todo cuando está solo. En este caso no se trata de que tenga miedo de quedarse solo, sino de que no sabe qué hacer. La única ocupación que encuentra es sacar el relleno del sofá.

LA VENGANZA

Los animales sienten a veces un sentimiento de injusticia.

Pero la venganza es a menudo una interpretación del amo y no una realidad. El perro se venga raramente, aunque se sienta herido. No puede controlarse de ningún modo. Pero como esto sucede a veces, mejor prevenirlo.

Los remedios

Vamos a estudiarlos en función de cada posible causa.

A LA SOLEDAD

Si el perro destruye todo por miedo a la soledad, tenemos que empezar todo el aprendizaje que está relacionado con esto.

Ciertas personas llevan a su cachorro a todas partes para acostumbrarlo a todas las situaciones. Luego, cuando alcanza la edad adulta, se vuelve más molesto y tiene que quedarse en casa.

El resultado es que está acostumbrado a todo menos a la soledad. Entonces, tenemos que partir los dos desde cero.

Ya hemos visto que el miedo a la soledad está relacionado a menudo con una hiperafección al amo. No vamos a hablar de nuevo sobre las medidas preventivas que se tienen que tomar para evitarlo.

En la práctica, no debemos reñir al perro cuando volvemos. Tenemos que hacer como si nada hubiera pasado, aunque los destrozos sean importantes. Tenemos que decirle que vaya a su cesta y salir de nuevo al cabo de un rato diciéndole: «¡Tumbado!», antes de irnos.

Tenemos que volver al cabo de cinco minutos. Felicitaremos suavemente al perro si todavía está en el mismo lugar. Si ha tenido tiempo de levantarse para destrozar algo, tendremos que reducir todavía más nuestra próxima salida.

El perro tiene que asociar nuestra salida y nuestro regreso con su buena conducta y con nuestra satisfacción. No tenemos que darle suficiente tiempo para que pueda hacer disparates. Luego, poco a poco, prolongaremos la duración de nuestras ausencias.

AL ABURRIMIENTO
Si el perro se aburre, tenemos que distraerlo. Si se ensaña con todo, tenemos que darle algo sobre lo que pueda ensañarse. Pondremos a su disposición varios juguetes para perro que podrá destruir. Si destruye su cesta, no tenemos que cambiarla en ningún caso.

Podemos utilizar productos amargos que colocaremos sobre los objetos, pero es preferible obtener una corrección natural de los trastornos. También podemos darle un objeto personal para que lo vigile. Se sentirá orgulloso de este nuevo papel.

A LA VENGANZA
Si la venganza es realmente la causa del desastre, tendremos que intentar arreglar los problemas antes de irnos y no dejar jamás al perro solo después de una reprimenda. No debemos encerrarle en una habitación cuando nos vamos, o en el coche, como castigo.

Cuando escarba y araña

Este tipo de destrucción se manifiesta únicamente en el exterior de la casa, pero también puede ser mal aceptada por los amos o los vecinos.

EL «ESCARBADOR»

Los perros que escarban en el jardín sólo imitan a su amo. Si nuestro perro manifiesta esta tendencia podemos intentar no trabajar en el jardín en su presencia. Para él es muy divertido vernos enterrar algo e imaginar que lo desenterrará más tarde. Los amos excusan a menudo este comportamiento en el cachorro. Tenemos que reñirlo enseguida y pedirle que se siente a nuestro lado.

Se trata también de la manifestación de un instinto de construcción de una madriguera. Las hembras en gestación lo hacen a menudo. Si no viven en jardines, rascan los cojines o la moqueta. Este comportamiento es normal, pero para evitar la destrucción del suelo de nuestra casa tenemos que poner a su disposición únicamente una caja de cartón con algunos trapos viejos dentro. Fabricarán de esta forma su «nido». Las hembras que durante la gestación están muy nerviosas también tienen este tipo de comportamiento.

También podemos poner una caseta para perro en el jardín. Pero tenemos que dejar que el perro se tome su tiempo para instalarse. Si el amo se muestra impaciente de ver cómo el animal se tumba en la caseta, este puede llegar a ser «alérgico» a ella.

El animal que escarba puede expresar a veces una frustración. Es el caso del perro que enviamos al jardín para castigarlo. Al escarbar, no sólo se vengará sino que se liberará por el sentimiento de exclusión. El jardín tiene que ser un lugar de descanso, no de aislamiento.

Si el perro escarba para escaparse pasando por debajo de la reja, podemos distraerlo colocando una pelota en el agujero. Entonces pensará más en sacar la pelota del agujero que en escaparse. También puede tratarse de un perro huidizo que quiere marcharse a cualquier precio (véase el apartado «El fugitivo», pág. 146).

EL ARAÑADOR

Los perros que arañan se ceban a menudo en las puertas o en los muebles. Ciertas hembras arañan el sofá de su amo. Es el caso de las hembras que no han sido suficientemente rechazadas durante la pubertad y que tienen una actitud sexual frente a su amo.

No debemos acariciarlos demasiado durante los periodos de celo, y tenemos que reglamentar nosotros mismos las caricias.

Esta situación de arañazos se produce también cuando encerramos al perro en una habitación por la llegada de visitantes. El perro está en su casa y no es a él a quien debemos aislar.

La jerarquización

Ya hemos visto cuál es la importancia del lugar que ocupa el perro en la familia para el aprendizaje de la vida con los demás y para construir las bases de una buena educación.

Aunque esto sea turbador para algunos amos, el perro tiene que ser un dominado. No debe tomar nunca la iniciativa de nada, aunque algunas situaciones parezcan ridículas en un principio.

Como ya hemos visto para la ansiedad por la separación, otorgaremos un lugar privilegiado a la noción siguiente: los trastornos de la jerarquización.

Son la causa de numerosas manifestaciones del comportamiento de tipo patológico, sobre todo los mordiscos.

La causa es una ausencia total o parcial de órdenes por parte del amo. El perro se considera entonces como el protector del amo o de la familia. También cree que es el jefe y que esta posición le permite imponer su ley. Si los miembros de la familia no la respetan, reaccionará con mordiscos, destrucción y ladridos... Un perro puede ser de carácter dominante, pero no tiene que ser dominante dentro de la familia. Dejaremos que estas relaciones de dominación se instalen entre dos animales. Ya hemos visto que la relación amo-perro se establece a través de cada orden: el perro come después de sus amos, se prohíben las manifestaciones sexuales, el perro duerme solo, etc. Se trata de actitudes que a menudo les parecen sádicas a los amos, pero no es así.

Vamos a ver que las relaciones jerárquicas anormales pueden conducir a trastornos graves del comportamiento.

El mordedor

Desgraciadamente, la agresividad es el principal trastorno del comportamiento en los perros. Esto es todavía más doloroso si tenemos en cuenta que las principales víctimas son los niños. Además, los mordiscos se dirigen a menudo a la cara o las manos. El término mordisco es una fuente de conflictos. Los amos dicen a menudo: «No ha mordido, sólo a pellizcado». Pero es mucho más grave. En efecto, el perro que pellizca sabe que domina a su amo y que sólo con pellizcar puede ganar la batalla. El perro que muerde por primera vez es menos consciente de su fuerza. Pero lo será si no corregimos este trastorno y se da cuenta de que provoca miedo al morder. Todas estas manifestaciones prueban una actitud agresiva. El perro reacciona con agresividad a cualquier molestia. Es evidente que un mordisco puede tener consecuencias más graves. Lo que nosotros entendemos como más grave es el hecho que un perro que muerde hoy puede pellizcar mañana y esto no sería un signo de curación, sino al contrario. Si nuestro perro tiene esta actitud, no debemos subestimar los riesgos.

Tenemos que intentar entender por qué existe un comportamiento de este tipo y cómo hacerlo desaparecer.

Las causas

La principal causa de los mordiscos es una falta de jerarquización. Pero pueden existir otras causas, como las agresiones diversas hacia el perro. Hablaremos luego de las soluciones.

EL DOMINANTE

El perro se considera como un dominante en el medio familiar y nadie le hace comprender que se ha equivocado. Actuará cuando una cosa no le guste, y el mordisco es una llamada al orden para los fuera de la ley (su amo, por ejemplo). El perro, fuera de estos momentos de agresividad, se encuentra a menudo muy tranquilo y es muy amable. Esto es lo que hace que el amo diga: «Pero si no es malo. Sólo muerde de vez en cuando». Es el caso de los perros que muerden cuando les colocan la correa. No han aceptado este gesto. No quieren someterse. Algunos amos pasan su vida buscando formas de engaño cada mañana para poner la correa. Soportan esta situación hasta el día en que el mordisco es demasiado grave. La única salida es entonces la separación del amo y de su perro. Para evitar llegar a este punto, tenemos que reeducar al perro.

EL AGREDIDO

El perro puede morder porque se siente agredido. Es el caso del perro que vigila la casa. Alguien entra en su *territorio*, él lo defiende y esto parece normal. Es lógico que el perro prevenga de que hay alguien que viola su territorio. Para ello dispone de los ladridos. Si esto no es bastante disuasivo, puede gruñir. Pero no debemos animarlo a que muerda.

Si queremos tener un verdadero perro guardián, tenemos que hacer que lo adiestren. Aprenderá entonces a morder «correctamente».

EL PERRO ENFERMO

Es lo que sucede con los perros viejos y enfermos. A veces muerden porque se sienten agredidos cuando los tocamos o simplemente cuando nos acercamos.

LA FALTA DE LIBERTAD

El caso de un animal atado con una gran correa delante de la casa es clásico. Es la mejor forma para «fabricar» un mordedor. El perro siente que su territorio se ha reducido al espacio en el que puede desplazarse al final de su correa. No puede sustraerse a un eventual agresor. Este puede ser un niño que lo molesta o simplemente alguien que pasa demasiado cerca. El perro no avisará, morderá en cuanto pueda.

LA RESPONSABILIDAD DEL AMO

No debemos descuidar este origen de los mordiscos. Algunas personas «animan» a su perro para que tengan esta actitud. Si el perro tiene que vigilar la casa y se trata de un perro que impone, lo educarán de tal forma que el mordisco será una respuesta banal para el perro.

Incluso un perro guardián no tiene que morder. Tiene que ser disuasivo simplemente.

¿Qué hacer?

Es importante no rendirse, tanto separándonos del perro como cediendo. Algunos amos prefieren vigilar para no dejarse morder que intentar una reeducación. No es la mejor solución.

El dominante

Tenemos que encontrar un orden normal en las relaciones perro-familia. Todos los elementos de la familia tienen que situarse como dominantes. No podremos hacer que el perro lo entienda a través de las palabras y tendremos que intervenir con situaciones tipificadas.

Estas situaciones e intervenciones son cuatro: la comida, el reposo, la sexualidad y pasar el primero.

Detallaremos lo que puede modificarse para controlar a un perro mordedor en un primer momento y luego curarlo.

Ya hemos visto las reglas de base. El perro come después de sus amos y solo, no duerme en la habitación, el amo no acepta ninguna manifestación sexual y mantiene la iniciativa en todas las decisiones.

En el perro dominante mordedor no se respeta ninguna de estas reglas. El amo no hace esto de forma consciente. Se trata a menudo de soluciones cómodas: es más sencillo que el perro coma antes que nosotros, pero no siempre valoramos las consecuencias.

Desgraciadamente tenemos que obligarnos a imponer estas reglas.

Tenemos que hacerle comer después de nosotros, sin darle nada durante nuestras comidas. Si gruñe tenemos que reñirle y decirle: «¡Tumbado!» o «¡Sentado!». Si no lo dominamos no debemos tocarle, pero tampoco debemos ceder. Es un primer paso hacia la reeducación.

Tenemos que proporcionarle un rincón blando y agradable y cerrar la puerta de nuestra habitación. Nos aguantaremos si grita. Si todas las situaciones se corrigen al mismo tiempo, el perro entenderá rápidamente que su estatus social está invirtiéndose.

Debemos tomar la iniciativa de todo. Los amos se divierten a menudo viendo a un perro que trae su correa y que abre la puerta para salir. Esta situación no tiene nada de divertido en un perro mordedor, puesto que es una señal de dominación del perro. Nuestro perro tiene que pasar siempre en último lugar. Tenemos que reencontrar nuestro rango de dominante y esto para todas las situaciones diarias.

EL AGREDIDO

Si el perro ha mordido de forma excepcional a un desconocido, no podemos hablar de trastorno del comportamiento, aunque esta reacción sea anormal. Por el contrario, si el perro muerde de forma sistemática al cartero, tenemos que actuar. Tenemos que empezar de nuevo todo el aprendizaje del territorio. Hay que hacer entrar a una persona en nuestra presencia y pedir al perro que permanezca detrás de nosotros. Si ladra de forma violenta, no debemos prestarle atención y debemos felicitarlo en cuanto acabe de ladrar. Comprenderá de esta forma que esta persona no lo está desafiando al entrar en su territorio y que esto es normal.

Repetiremos la experiencia varias veces con algunos días de intervalo. Sólo de esta forma sabrá distinguir los verdaderos intrusos de las personas que nosotros conocemos.

EL PERRO ENFERMO

Los animales viejos sufren a menudo dolores crónicos como la artrosis, y a veces se vuelven agresivos. Sobre todo durante una crisis se vuelven muy irritables. Aunque el amo debe controlar la situación, tenemos que excusar a estos perros y la reeducación tiene que pasar por la indulgencia del entorno para no provocar el mordisco. Los tratamientos médicos destinados a aliviar al perro son un remedio eficaz contra este tipo de actitudes.

No debemos estar nunca orgullosos de nuestro perro cuando muerde, aunque esto nos parezca justificable.

No debemos colocarlo en una posición crítica: atado con una cadena, encerrado en un coche, etc.

A veces se castra a los machos agresivos: tenemos que consultar con nuestro veterinario si este tratamiento puede adaptarse a nuestro animal.

■ El síndrome de privación

Forma parte, con la ansiedad por la separación y la falta de jerarquización, de las tres grandes causas de los trastornos del comportamiento.

Provoca numerosos síntomas, pero un trastorno predomina en cada uno de ellos. La ansiedad engendra muy a menudo un comportamiento destructor y la falta de jerarquización provoca un comportamiento de mordedor.

El síndrome de privación permite explicar sobre todo los fenómenos de miedo en los perros. Antes de centrarnos en las fobias de los perros y de encontrar una solución para cada una, intentemos comprender el mecanismo y el origen general de los miedos de los perros.

El término de privación designa la falta de estimulaciones diversas en las primeras semanas de vida del cachorro. Estos perros tendrán comportamientos patológicos cuando estén en contacto con un medio muy rico en estimulaciones visuales o sonoras (calles, coches, motos, tormentas, etc.) porque no estarán acostumbrados a ellos. Son indispensables numerosas estimulaciones, que sean variadas, y que intervengan muy pronto en la vida del cachorro para su desarrollo «intelectual» y neurológico.

El caso de cachorros criados en algunas perreras aisladas, en cercados y no viendo a nadie antes de la venta es significativo. Tienen miedo de los ruidos más anodinos, como un objeto que cae, una bolsa de papel que arrugamos o una hoja que cae del árbol. La vida del amo y la del cachorro se vuelven entonces difíciles. Además, estos animales están siempre en estado de alerta por miedo a lo que pueda suceder.

Esta situación provoca a menudo un exceso de apego del perro por su amo, en el cual busca un consuelo permanente. Pero no sería dramático... si esto no pudiera evolucionar en un síndrome llamado *ansiedad de la separación* (remitirse al párrafo correspondiente) y engendrar nuevos trastornos.

◼ El asustadizo

Es normal que el perro tenga miedo de los ruidos muy impresionantes como la tormenta o los petardos de las verbenas.

El perro asustadizo se asusta por pequeños ruidos anodinos (el teléfono, un objeto que cae...) o por situaciones que siente que son peligrosas cuando en realidad no lo son (un coche o una bicicleta que pasan). No consigue tranquilizarse, incluso cuando el estímulo que desencadena el miedo ha desaparecido. Parece como si estuviera en un estado secundario que le impide controlarse, permanece persuadido de que la causa de su miedo está siempre presente. En ese caso debemos desensibilizar al animal intentando alejarlo de su miedo.

Los cazadores tienen la costumbre de poner a prueba a los perros jóvenes. Si les dan miedo los disparos los jubilan rápidamente. Pero podemos solucionar los miedos del perro sin escoger esta solución extrema.

Las reacciones del animal asustadizo

Pueden ser muchas por una misma causa. La destrucción y los mordiscos son reacciones a estimulaciones violentas (tormentas). Los mordiscos, inhibiciones y trastornos digestivos son la respuestas a los miedos crónicos.

LA DESTRUCCIÓN
El animal asustadizo puede destruirlo todo a causa de un ruido. A menudo hace sus necesidades por todas partes.

LA ESCAPADA
Puede escaparse. Las huidas durante las verbenas son frecuentes. También puede esconderse debajo de un mueble o de un armario.

EL MORDISCO
El animal puede morder cuando intentamos tranquilizarlo.

LA INHIBICIÓN
Puede sentirse totalmente inhibido, orinarse encima o no moverse más. Es el caso de los animales que tienen un amo demasiado autoritario.

LOS TRASTORNOS DIGESTIVOS
Los trastornos digestivos también son muy frecuentes (diarreas o vómitos).

Las causas

Aparte de los estímulos importantes y puntuales que provocan el miedo, como los ruidos, los truenos, etc., intentaremos comprender por qué un perro puede tener una reacción desproporcionada ante una situación anodina.

LA FALTA DE ESTIMULACIÓN
El miedo puede concentrarse sobre un solo tipo de ruido (los petardos, por ejemplo). Ya hemos visto que aunque esto es molesto, no es regular. Por el contrario, la calle en su conjunto (coches, transeúntes, etc.) puede ser fuente de miedo y la vida se vuelve entonces más difícil. Una determinada raza de perro puede asustar al nuestro. Algunos tienen miedo de los perros grandes y otros de los pequeños.

Todos estos miedos son debidos a una falta de estimulaciones diversas del cachorro. Tiene que estar acostumbrado a todo y a todos desde muy joven. (Hablaremos de las técnicas de estimulación más adelante.)

UN MAL RECUERDO
El miedo puede ser debido a un mal recuerdo asociado a un acontecimiento preciso.

El animal no habría tenido miedo la primera vez si un acontecimiento suplementario no hubiera intervenido.

El perro que ha recibido un mordisco de otro perro tendrá miedo de los perros cuando antes no lo tenía. El simple encuentro con un animal después del mordisco provocará signos de pánico o de agresividad, y esto independientemente del tamaño del perro: no es raro ver grandes molosos que tienen miedo de los perros pequeños.

¿Qué hacer?

El objetivo de la reeducación es hacer olvidar al perro su miedo. No podemos explicarle con palabras que la situación no es peligrosa. Tendrá que darse cuenta por sí mismo. Pero tenemos que ayudarlo. Existen cuatro métodos para ello. Podemos aplicarlos solos o como complemento los unos de los otros.

No CONSOLAR
Al consolar a nuestro perro, damos una importancia real a su miedo y lo reforzamos. Acariciar a un perro que tiene miedo y hablarle con dulzura es un reflejo normal. Pero tenemos que aguantarnos las ganas de hacerlo.

EL PLACER ANTE TODO
Si tenemos miedo de coger el avión, podemos cogerlo con un amigo que hablará con nosotros durante el viaje. Al final conseguiremos no pensar más en nuestro miedo.

Utilizaremos este mismo principio con el perro. Tenemos que asociar a la situación de miedo una situación de placer más intensa. El perro asociará de esta forma el motivo del miedo al placer y no a la angustia. Si nuestro perro tiene miedo de los coches en la calle, podemos darle una golosina en el momento en que llega el coche y acariciarlo pero sin consolarlo. También podemos llamarlo y jugar con él mientras pasa el coche.

LA COSTUMBRE
Otra técnica de reeducación consiste en acostumbrar al perro de forma progresiva a la situación de miedo. Esto es válido para las situaciones que se repiten de forma regular.

Tenemos que evitar tirar petardos durante todo el año para curar el miedo a las noches de verbena. Lo que es importante es poder detener rápidamente la situación de miedo que hemos creado de forma voluntaria. Si tiene miedo de los coches, pediremos a un amigo que se detenga cerca de nosotros en coche pero que se aleje en cuanto el perro esté aterrorizado. Poco a poco alargaremos la duración de los estímulos.

LA ESTIMULACIÓN

Tenemos que presentar al perro joven un máximo de estimulaciones. Es lo que ya hemos señalado en el capítulo «El aprendizaje de los demás». Para un perro asustadizo, tenemos que empezar de nuevo este aprendizaje poco a poco y colocarlo en situaciones estimulantes (presencia de otros perros, ruidos, niños...).

CASOS PARTICULARES

Proponemos a continuación algunos ejemplos de tratamiento, bien mediante métodos de costumbre, bien con desensibilizaciones adaptadas a cada situación. Estos ejemplos no tienen un valor universal, y podemos encontrar otras astucias para desensibilizar un perro. Solamente permanece constante el principio general de los métodos.

El miedo al teléfono

Este miedo puede parecer divertido. En efecto, un perro que ladra y salta sobre el teléfono no es una situación dramática.

Pero el perro puede volverse agresivo con la persona que telefonea. Esta actitud es interpretada por los amos como celos, pero no es así. Es muy útil corregir este comportamiento.

El primer reflejo que debemos tener es no gritarle al perro, ya que esto aumentaría su reacción. Luego diremos a algunos amigos que nos llamen, dejaremos que el teléfono suene y, si el animal reacciona, no lo descolgaremos hasta que se haya calmado. Para no provocar al perro, dejaremos que el teléfono suene un máximo de diez veces (si no descolgamos, los amigos tienen que detenerse). Felicitaremos al perro cuando deje de ladrar y podamos descolgar el teléfono.

La tormenta
Si las tormentas son poco frecuentes en nuestra región, quizás no sea necesario emprender una reeducación. En cambio, si estamos en la montaña y el perro está aterrorizado por cada trueno, tenemos que ayudarle. Los amos señalan que el perro siente la llegada de la tormenta. Las manifestaciones de miedo pueden preceder al trueno y ser muy intensas en el momento del ruido. También la luz del rayo los atemoriza.

Podemos hacer una grabación del ruido del trueno y pasárselo al perro a bajo volumen y aumentar luego la intensidad día a día.

Tenemos que distraer al mismo tiempo al perro para que oiga el ruido mientras hace otra cosa. No debemos consolarle, que es lo que sucede normalmente en las situaciones reales, porque algunos amos tienen también miedo de los truenos.

Gracias al ruido de fondo de la tormenta y a la ocupación anexa, el perro no relacionará más la tormenta y su miedo y soportará mejor la situación.

El miedo a los coches
Los orígenes de esta fobia son múltiples.

Puede ser debido al primer viaje de la perrera a casa durante el cual el amo y el cachorro estaban ansiosos.

Un accidente de coche puede dejar también malos recuerdos.

El perro puede expresar su miedo en el coche volviéndose agresivo o poniéndose enfermo.

Es importante acostumbrar al perro al coche, como ya hemos indicado en el capítulo «El aprendizaje del territorio» (pág. 93). Examinaremos cómo reacostumbrar a un perro y hacer desaparecer esta ansiedad.

Podemos retomar la educación haciendo trayectos muy cortos sin consolarle, algo que sólo reforzaría su ansiedad.

Tenemos que hacer que el perro olvide su miedo. Cogeremos uno de sus juguetes y se lo daremos durante el trayecto. Esto lo puede distraer y tranquilizar.

También podemos darle, al detenernos, la comida en el coche. Esto nos permite banalizar el coche, puesto que el vehículo solo, fuera de todo trayecto, es a veces el origen del miedo. Dejaremos, siempre que sea posible, que suba en el coche cuando quiera dejando las puertas abiertas.

Tenemos que evitar utilizar este medio de transporte únicamente en los casos que le provocan una ansiedad suplementaria: visita al veterinario, la perrera durante las vacaciones, etc. Aunque no veamos la utilidad inmediatamente, tenemos que hacer viajar en coche al perro asustadizo muy a menudo, ya que la solución que consiste en no subirlo más en coche porque tiene miedo sólo agrava el problema.

PREVENIR

Para evitar todas estas fobias, la educación y la socialización son fundamentales.

El perro tiene a menudo miedo de las situaciones que no conoce. Los amos, por su parte, tienden a consolar al perro. Esta actitud refuerza el miedo, porque prueba al perro que tenía razón al estar atemorizado.

La prevención pasa por una estimulación muy importante del perro. No se trata de asustarlo sin cesar para que se vuelva insensible. Debemos ponerlo en contacto con otros perros, con otros animales, con la gente, y enseñarle los ruidos de la calle.

Si expresa una angustia frente a una situación, tenemos que hacer como si no sucediera nada y distraerlo de lo que le da miedo jugando con él, llamándolo o dándole de comer, por ejemplo, pero sin llegar a convertirlo en bulímico.

■ El fugitivo

La huida es la partida prolongada del perro de su territorio. Se escapará de nuestra casa por propia voluntad. Sabe que sale de su casa, que no tiene derecho y que no tiene la intención de volver rápidamente. El sentimiento de falta está presente en su espíritu y, por lo tanto, intentará burlar nuestra vigilancia.

Esto es muy distinto del perro que se pierde. Nuestro perro puede, en efecto, escaparse momentáneamente por un lugar que no le es familiar (bosque, parque) y no encontrarnos más. El fugitivo, en cambio, es consciente de su huida.

Las causas

El carácter del perro, las condiciones en las que vive y todas las modificaciones de su entorno próximo pueden provocar las fugas, pero también y sobre todo, la sexualidad. El miedo desencadena a menudo una reacción de fuga, pero también puede ser la causa de las fugas.

LA SEXUALIDAD

La actividad sexual y la búsqueda de una pareja, sobre todo en los perros machos, son las principales causas de fugas.

Este fenómeno es, además, muy conocido en los gatos, a los que se les practica la castración como remedio.

A los perros se los castra muy raramente, puesto que la educación tiene que permitir retenerlos. Además, esta operación se destina normalmente a corregir el comportamiento de un perro mordedor y no de un perro fugitivo.

El perro empieza a arañar las puertas y luego a querer salir en cuanto una de ellas se entreabre. La reacción de los amos, que consiste en atar al perro durante estos periodos de celo, no hace más que agravar la situación. El perro sólo busca escaparse. Es frecuente ver a machos saltando por encima de altos cercos o realizar agujeros enormes para pasar por debajo, y todo ello durante unos segundos de desatención.

EL MEDIO FAMILIAR

El perro puede fugarse porque no se encuentra bien en su medio familiar. Esto sucede cuando se ha producido algún cambio: nacimiento de un bebé, llegada de un nuevo perro, cambio de casa.

El perro irá a buscar a otra parte (todavía no sabe dónde) una cierta seguridad y un afecto que cree que ha perdido en nuestra casa. Se trata más de una fuga de un entorno que una búsqueda inmediata de otro. Pero si la ocasión se presenta, escogerá una nueva familia.

Por eso, muchas veces se recoge a perros adorables: no todos tienen amos malos, se escapan únicamente porque la situación ya no les parece agradable.

LAS RAZAS

No podemos negar el hecho de que algunas razas son más propensas a fugarse que otras. Los perros nórdicos son un buen ejemplo de ello, igual que algunos perros de caza. Esto no quiere decir que debamos resignarnos y excusar al perro; simplemente tenemos que estar más atentos. Podemos tener perfectamente a un husky en un jardín, sin estar permanentemente buscándolo, si está bien educado.

EL MIEDO

Algunos perros se escapan durante las tormentas o en las noches de verbena. Tenemos que remitirnos más arriba al párrafo que trata sobre el perro asustadizo.

Los cachorros tienden a escaparse por «inconsciencia». Tenemos que vigilarlos mucho si el medio donde viven es peligroso (un jardín sin cerco, por ejemplo).

¿Qué hacer?

El tratamiento varía en función del origen de la fuga.

LA FUGA SEXUAL

Desgraciadamente, la educación no es de gran utilidad en este caso. Para las fugas de origen sexual, podemos calmar al animal con productos hormonales. En cambio, se desaconseja encerrarlo, porque esto puede provocar un sentimiento de injusticia.

LA FUGA DEBIDA AL MEDIO FAMILIAR

Tenemos que otorgar de nuevo al perro un lugar en la familia. Si se ha producido una modificación, tenemos que dar confianza al perro paseándolo, acariciándolo y jugando con él. Pero no olvidemos mantener siempre su lugar de dominado incluso mientras lo mimamos.

LA FUGA DEBIDA A LA RAZA

La educación es en este caso un remedio eficaz. Si tenemos un cachorro de riesgo, tendremos que poner mucha atención al aprendizaje de la llamada y a caminar con correa. Algunas razas tienen esta fama, pero es perfectamente posible pasearlas sin correa.

Simplemente tenemos que privilegiar esta enseñanza en relación con otra raza. Si adquirimos un perro ya adulto, tenemos que empezar el aprendizaje desde cero y concretándonos exclusivamente sobre ejercicios de llamada.

LA FUGA DEBIDA AL MIEDO
Remitirse más arriba al párrafo sobre el perro asustadizo.

■ El camorrista

Algunos perros pueden pelearse con otro de forma ocasional. Por ejemplo los perros machos que se pelean al sentir la proximidad de una hembra en celo. Tenemos que analizar la situación que ha provocado la pelea para que no se repita nunca más.

Hablaremos aquí de los perros que se pelean en cuanto ven a otro animal y sin razón aparente. Se trata en ese caso de una situación difícil, puesto que los amos tienden a evitar a los demás animales. Este aislamiento del animal refuerza solamente su comportamiento agresivo el día en que se encuentra en contacto con un perro o un gato.

Las causas

Las nociones de territorio y de jerarquía son fundamentales en este trastorno del comportamiento.

EL TERRITORIO
El caso más frecuente es un conflicto de territorio. Esto no parece evidente en un principio, puesto que el perro se apropia de un territorio que en realidad no es el suyo.

Sacamos, por ejemplo, a nuestro perro con la correa para que haga sus necesidades. Si se trata de un macho, orinará un poco por todas partes para delimitar un territorio. Si otro perro viene y hace lo mismo en el mismo lugar, la pelea puede desatarse, puesto que esta actitud es un enfrentamiento para nuestro animal.

El hecho de mantenerlos con la correa y la presencia del amo no hacen más que aumentar el riesgo de ataque.

EL OBSTÁCULO

Los perros se pelean también cuando hay algo que los separa. Si colocamos una reja en medio de un patio para separar a dos perros, se pelearán a través de la reja. Si la quitamos, dejarán de pelearse. A menudo es preferible no colocar ningún obstáculo entre dos perros que pueden enfrentarse, aunque este paso pueda parecer extraño. Tenemos que dejar que establezcan su jerarquía.

LA JERARQUÍA

La falta de jerarquización se encuentra también entre las causas de este tipo de comportamiento. El perro quiere defender a su amo o enseñarle que él es el más fuerte. Así pues, se pelea en su presencia y por él.

¿Qué hacer?

Cuando la pelea ya ha empezado, ya hemos visto que no debemos gritar. Las demás recomendaciones ya se han explicado. Aquí veremos únicamente cómo reeducar al perro.

No debemos evitar, como ya hemos dicho, las situaciones de riesgo. Al contrario, debemos provocarlas para dominarlas mejor.

Si tenemos un perro camorrista, intentaremos encontrar a otro amo (¡y amigo!) comprensivo que quiera ayudarnos. Sacaremos a pasear al perro fuera y, al encontrarnos con el otro perro, manifestaremos una gran alegría frente al amo del otro sin ocuparnos de los animales. Si nuestro perro es hiperprotector estará contento de vernos tan alegres. Si intenta llamar nuestra atención saltando encima del otro amo, tiraremos de la correa y haremos que se coloque detrás de nosotros. Si gruñe al otro perro y se prepara para atacar, concluiremos la conversación rápidamente pero sin ser bruscos y siempre manifestando alegría. El perro no debe percibir que nos vamos por su culpa. Repetiremos este ejercicio al día siguiente.

Lo ideal es realizarlo con perros distintos.

Más adelante nos pasearemos juntos, los dos perros y los dos amos, para que entienda que la calle es de todo el mundo.

Si tenemos dos perros en casa que se pelean a menudo, no debemos separarlos bajo ninguna circunstancia. Algunos amos pasan sus días abriendo una puerta y luego cerrando otra para evitar el contacto de los dos perros hasta el día en que la pelea explota a causa de un descuido.

La separación aumenta los riesgos de peleas. Tenemos que desviar su atención cuando se encuentran. Tenemos que jugar con ellos, llamarlos. Los más ansiosos ante la idea del encuentro son, finalmente y sobre todo, los amos.

Para los problemas de «dominante», nos remitimos al párrafo sobre la jerarquización.

▆ El perro inquieto

Algunos perros son incapaces de permanecer quietos en un mismo lugar: las manifestaciones de su nerviosismo son los ladridos, los saltos, los tirones de la correa, idas y venidas por el jardín, etc.

La vida en un apartamento es difícil. El perro se sube a los sillones, baja de ellos continuamente. Duerme muy poco. Esto pone nervioso al amo que, al no soportar más a su perro, lo riñe o evita su contacto. El perro intentará llamar la atención del amo moviéndose todavía más.

Tenemos que encontrar rápidamente una solución, puesto que el nerviosismo y la destrucción son una causa frecuente de separación.

Las causas provocadoras

LA ANSIEDAD
La ansiedad se asocia a menudo a las causas favorables, la catalizadora que permite la aparición del trastorno. El perro no consi-

gue controlarse cuando presiente que su amo se va, cuando se encuentra en un lugar nuevo o cuando la situación es desconocida. Entonces se vuelve insufrible y el amo evita estas situaciones.

La socialización

Una mala socialización de partida también puede provocar nerviosismo. El cachorro que no ha visto nunca a otros animales tendrá un comportamiento de excitación en cuanto esté en contacto con un animal. También le costará controlarse en presencia de varias personas.

Los niños lo excitarán fácilmente.

Las sesiones de juego que no se controlan (tirones, gritos, etc.) conducen también a un estado de excitación permanente.

Las causas favorables

No siempre son responsables por sí solas de este comportamiento. Normalmente se asocian a las causas provocadoras.

La raza

Tenemos que reconocer que existen algunas razas predispuestas a la agitación. Insistimos de nuevo sobre el interés de la buena elección de una raza.

La edad

El perro joven es más nervioso que el perro adulto, pero esta agitación tiene que tener límites.

Un cachorro que lo devora todo y que se mueve sin parar puede clasificarse, sin riesgo a equivocarse, entre los animales que están anormalmente agitados.

La forma de vida

Las condiciones de vida del amo que no se corresponden a las necesidades del perro provocan la agitación. El perro puede sufrir de una falta de ejercicio.

La personalidad del amo también interviene: los que continuamente están corriendo tienden a «fabricar» un animal agitado.

¿Qué hacer?

Si hemos escogido una raza predispuesta a este tipo de comportamiento, tenemos que priorizar el aprendizaje de las órdenes de llamada a la tranquilidad, es decir, los «¡Sentado!», «¡Tumbado!» y «¡A la cesta!».

ANTE TODO, TRANQUILIDAD
Tenemos que mostrar nosotros mismos una actitud tranquila, evitando los gritos, el ruido...

Debemos imponer tranquilidad ante cada situación.

También podemos utilizar las sesiones de juego si están muy estructuradas.

Lanzaremos un objeto que el perro tiene que traernos de nuevo. Para que consiga controlarse, tenemos que pedirle que lo coloque a nuestros pies. No debemos ocuparnos del perro ni felicitarlo antes de que haya dejado el objeto, se haya tumbado y vuelva a estar tranquilo.

■ El salto sobre las personas

Es normal que un cachorro salte sobre las personas durante los primeros meses. Es en efecto lo que hace con su madre y con los demás cachorros de su camada. Pero tenemos que enseñarle que no debe hacerlo con las personas. Algunos perros mantienen esta mala costumbre.

Las causas

Los perros que no soportan la soledad manifiestan reacciones de alegría demasiado excesivas en forma de salto cada vez que regresa su amo o simplemente cuando se cruzan con alguien o con otro animal. Saltan también sobre todo lo que desconocen.

Nos encontramos de nuevo con la ansiedad por la separación, la falta de estimulación y de socialización como causa de este trastorno.

¿Qué hacer?

Si el perro nos salta encima, tenemos que agacharnos para saludarlo y mantenerlo en el suelo mientras le decimos: «¡Quieto!» o «¡Sentado!». Lo felicitaremos si mantiene esta posición cuando nos levantemos. Tenemos que evitar que reemplace el salto con el lamido de la cara. Si lo hace, tenemos que rechazarlo. Los amos aceptan y buscan esta señal de ternura. No se trata de una señal de afecto por parte del perro, sino de un signo de dominación y de superprotección. Los perros hembra lamen de esta forma a sus pequeños. También podemos dar algunos pasos hacia atrás, suavemente. El perro saltará entonces en el vacío y le diremos a continuación que se siente.

En esta reeducación, es necesario multiplicar los ejercicios de este tipo. Tenemos que provocar el mal comportamiento para poderlo corregir lo más a menudo posible.

Tenemos que lograr, poco a poco, que el perro entienda que nuestra alegría está provocada no por sus manifestaciones exuberantes sino, al contrario, por su tranquilidad.

▨ El ladrador

Este comportamiento es la causa de numerosos desacuerdos entre vecinos, tanto en la ciudad como en el campo. El amo debe tener siempre en cuenta las quejas de los vecinos, aunque el perro tenga razones para ladrar.

Las causas

Los ladridos excesivos pueden ser debidos a un miedo, a la defensa del territorio, a una reclamación o a un estado ansioso.

El perro puede ladrar en cuanto alguien pasa por delante de la casa o cuando oye el ascensor. Este comportamiento aparece normalmente entre los cuatro o los seis meses en los animales que no son precisamente de carácter dominante. De hecho, el tímido tiende a reaccionar de esta forma.

Una situación anormal para el animal, incluso repetida, puede provocar los ladridos. Un perro que vive con sus amos durante el día y al que se coloca en el jardín durante la noche tendrá este tipo de comportamiento.

Algunas razas pequeñas están más predispuestas a los ladridos. Debemos rechazar el más mínimo fracaso desde muy pequeños.

¿Qué hacer?

Para el miedo o la reclamación de comida, tenemos que consultar los capítulos anteriores. Estudiaremos aquí cómo detener los ladridos de advertencia.

No debemos gritar al perro, puesto que ladrará todavía más fuerte para tapar nuestros gritos. Nuestros gritos lo excitarán y le confirmarán que la situación necesitaba los ladridos. No comprenderá que es precisamente a él a quien gritamos.

Tenemos que pedirle que detenga los ladridos con el «¡Stop!» y permanecer delante de él sin movernos hasta que deje de ladrar. Esperaremos unos segundos y lo felicitaremos. Luego, iremos a ver qué sucede fuera pero sin él.

Para corregir este trastorno, tenemos que hacer que alguien provoque ruidos en la casa. Pediremos al perro que no se mueva en un primer momento, iremos a comprobar sin él y luego con él, pero tiene que permanecer siempre detrás de nosotros. Luego, le permitiremos que vaya a ver por sí mismo y sólo le dejaremos ladrar cuando se encuentre delante de la «cosa» anormal.

El perro tiene que entender poco a poco que una o dos señales son suficientes para prevenir al amo.

■ El desaseado

Tenemos que diferenciar bien el accidente de la suciedad permanente. Los accidentes pueden ser debidos a una gran emoción (alegría o miedo) o simplemente al aprendizaje de la limpieza. Si el perro realiza sus necesidades por todas partes de forma permanente, tenemos que actuar.

Las causas

Un aprendizaje demasiado permisivo es a menudo el responsable de esta situación. La noción de territorio es en este caso todavía más importante. Tenemos que diferenciar dos tipos de desaseo: deposiciones de diarrea por todas partes en la casa o deposiciones normales en lugares precisos (a menudo en lugares elevados). Las primeras se deben a un fenómeno de ansiedad por la separación y las segundas se deben a un síntoma de dominio.

a) *El amo*. El desaseo es el ejemplo típico por el que el amo deberá cuestionarse (sin por ello culpabilizarse): en efecto, la mayoría de los casos son debidos a un mal aprendizaje de la limpieza. Así pues, tenemos que encontrar una solución y ayudar a nuestro perro en lugar de rechazarlo, lo que sucede a menudo.

b) *Un cambio*. El origen puede ser también un cambio de situación (bebé, otro animal, traslado). El perro tiene necesidad entonces de marcar su territorio para reencontrar su posición.

c) *La sexualidad*. La presencia de una hembra en celo excita a los machos y provoca un marcaje del territorio. Esta situación es normal, pero no está en conocimiento siempre de los amos.

d) *El territorio*. También tenemos que pensar en respetar el dominio de nuestro perro. No debemos encerrarlo por la llegada de un amigo o de otro perro. Orinará cuando este se vaya.

¿Qué hacer?

Entre todas las causas enunciadas anteriormente, buscaremos la que se acerca más a nuestra situación. Intentaremos, en un primer momento, saber si nuestro compañero se acerca más al dominante o al ansioso.

Cuando el animal haga sus necesidades en casa, le daremos de comer en el lugar exacto donde lo ha hecho. Cambiaremos el lugar de la escudilla si el perro cambia de lugar para orinar.

Puesto que los perros saben diferenciar muy bien la zona donde comen y la zona donde hacen sus necesidades, evitan hacer sus necesidades donde comen.

En cuanto veamos a nuestro perro que huele, debemos decirle: «¡Basta!», felicitarlo si obedece y sacarlo enseguida.

Si el perro adulto orina siempre ante la más mínima emoción, tenemos que intentar neutralizar las situaciones. Si orina cuando nos vamos o cuando volvemos, tenemos que darle las mínimas señales posibles de estas etapas. Si nuestro perro es muy emotivo, tenemos que estimularle como ya hemos visto.

El último caso del que nos ocuparemos es el del ladrón.

■ El ladrón

En un primer momento, es el amo el que tiene que intentar no provocar este comportamiento. No debemos dar nada a nuestro perro cuando estamos en la mesa y sobre todo nunca a escondidas.

No debemos tirar la comida en el plato del cachorro. Tenemos que ponerla dentro cuando él no nos vea.

Si reñimos al animal, incluso en el momento justo, intentará robar durante nuestra ausencia. Tenemos que corregir el trastorno y al perro.

Los robos son casi siempre de comida, pero los perros también roban objetos que esconden en un rincón de la casa: calcetines, trapos, zapatos, etc. La actitud del amo es entonces muy importante.

Sólo debemos darle juguetes para perro. Si ha robado alguna cosa, no debemos correr detrás del animal cuando tiene el objeto en la boca. Tampoco debemos pedirle que nos lo devuelva: tomaría esto como un juego. Tenemos que sacar los objetos robados del escondite cuando el perro no nos ve y colocarlos en su lugar.

Si el perro roba algo muy preciso, podemos asociar este robo a una sensación desagradable. Si el perro busca en la basura, podemos colocar un producto amargo encima.

También podemos asociar el robo a un ruido considerable, que además tendrá la ventaja de prevenirnos.

Conclusión

▪ La educación de un perro tiene que empezar muy pronto y durar poco tiempo

Nuestro perro tiene capacidades de aprendizaje que son importantes en los primeros periodos de su vida. Tenemos que saber aprovecharnos de ellas. Se hace adulto muy rápido. Cuando alcance la madurez será mucho menos manejable.

Debemos empezar la educación del cachorro a los dos meses, tenemos que estar muy atentos entre los dos y los seis meses, luego tenemos que esmerar el aprendizaje de los seis a los diez meses. Tendremos entonces un perro perfecto que será una fuente de felicidad.

La fase de educación es una etapa que marcará todo el comportamiento futuro. Se trata de la primera y casi la única etapa. Si no nos hemos preocupado mucho de ella, tendremos que reeducar a nuestro perro y esto es mucho más difícil.

▪ La educación no es una domesticación

Esta constatación no tiene nada de peyorativa ni hacia la domesticación, ni hacia los domesticadores, ni hacia los amos que quieren domesticar a su animal. Al contrario: señalamos bien la diferencia para que estos se dirijan a los profesionales.

La domesticación no es en ningún caso un sustituto de la educación. No podremos hacer domesticar correctamente a un perro si las órdenes de base todavía no se han asimilado. La llamada, el caminar a nuestro lado, el sentado... son indispensables.

La domesticación es una segunda etapa. Si deseamos acceder a esta enseñanza, lo ideal sería que todos los miembros de la familia participasen en las sesiones.

El perro domesticado escucha a su domesticador, luego a su amo y muy raramente a su entorno. Esto es una pena, pero a menudo es culpa del amo que quiere ser el único que ejerza una cierta autoridad sobre su perro.

Sin embargo, vivimos en familia; por ello tendríamos que compartir la educación y, eventualmente, la domesticación.

■ La educación está íntimamente relacionada con nuestro carácter y con el de nuestro animal

Es primordial que nos sintamos cómodos con nosotros mismos como amos que tenemos que vigilar al animal, corregirle y reñirlo.

Si vivimos mal este periodo de relaciones autoritarias, tenemos que decirnos que es la única forma de, más adelante, mantener relaciones equilibradas con nuestro perro.

Podemos, para falsear un poco el juego, escoger una raza cuya educación nos plantee pocos problemas, como hemos indicado al principio del libro.

También podemos optar por una hembra. Es verdad que son más fáciles que los machos de una misma raza. Se someten más rápidamente a nuestras órdenes. Normalmente son más cariñosas y buscan inmediatamente las caricias, y por ellas son capaces de hacer todo o casi todo lo que queremos.

Un macho sería perfecto si buscamos una relación de fuerza.

La educación de base dura poco tiempo, pero los pequeños recordatorios pueden ser frecuentes.

Tenemos que guardar este libro y retomarlo en cuanto observemos que el perro se relaja. Será muy útil si adoptamos un cachorrillo unos años después del primero, porque tendemos a olvidar rápidamente lo que debemos hacer.

Esperamos haber dado las bases de una buena educación y los medios para optimizarla adaptándola a nuestro animal.

Impreso en España por
HUROPE, S. L.
Lima, 3 bis
08030 Barcelona